Hunter Jones

Le trésor des Seigneurs de Méliakin

Du même auteur

Chez le même éditeur

Louis Lymburner

Hunter Jones

Le trésor des Seigneurs de Méliakin

Catalogage avant publication de Bibliothèque et Archives Nationales du Québec et Bibliothèque et Archives Canada

Lymburner, Louis

Hunter Jones : le trésor des seigneurs de Méliakin
Pour les jeunes de 9 ans et plus.
ISBN 9782924561027
I. Laverdière, Benoît, 1957.
II. Titre.

PS8623.Y42H86 2016 jC843'.6 C20169414094
PS9623.Y42H86 2016

Éditions
L'Écrivain de l'Est
Saint-Ignace-De-Loyola (Québec) Canada J0K 2P0

Révision : Guy Permingeat
Correctrice : Réjeanne Gervais
Illustration intérieures : Benoît Laverdière
Conception et illustration de la couverture : Annie Boulanger
Infographie : Marie-Eve Guillot

Diffusion
www.lecrivaindelestediteur.com
www.louislymburner.com

Dépôt légal
Bibliothèque et Archives nationales du Québec, 2016
Bibliothèque et Archives nationales du Canada, 2016
Bibliothèque Nationale de France
3ᵉ trimestre 2016

ISBN :   978-2-924561-02-7
2 3 4 5 – 2016 – 19 18 17 16
Imprimé au Canada

Remerciements

Merci à Sandrine Lazure, l'écriture de polar jeunesse fut une belle découverte ! Merci également à Reggie, ma fidèle complice et première lectrice. Ton aide précieuse m'est indispensable... Et finalement, merci à mon équipe de précieux collaborateurs : réviseurs, illustrateurs, illustratrices, infographistes qui ont su donner vie à ce nouveau roman jeunesse.

Dédicace

À Daphnée Stellinga, tel que promis.
– Bravo pour le courage de tes convictions !
– Ainsi qu'à tous les jeunes et moins jeunes qui raffolent
d'enquêtes à la Sherlock Holmes,
remplies de mystères et de suspense...

1

Mystère à Kensington

Vendredi, quinze heures, place du faubourg Carlyle…

« Pin-pon ! Pin-pon ! »

Interpellés par les gyrophares, de nombreux badauds accoururent sur la scène de crime.

— Hé ! Qui est la victime ? demanda l'un d'eux.

— Regardez ! On dirait un foulard qui lui serre le cou ! lança un autre badaud, horrifié en pointant la dépouille.

— Poussez-vous ! Dégagez ! hurla un des policiers pour faire reculer la foule qui s'entassait un peu trop près du périmètre de sécurité.

— Allez ! Cédez le passage ! cria un deuxième policier en tentant, tant bien que mal, de se frayer un chemin à travers cet attroupement, suivi de près par l'équipe de la morgue venue récupérer le corps sans vie.

— Qui est-ce ? demanda avec insistance une journaliste tout en fixant le représentant de l'ordre qui leur ordonnait de reculer.

— On a le droit de savoir ! C'est la quatrième victime en moins d'un mois ! lança un autre journaliste, magnétophone en main, prêt à recueillir les confidences du représentant des forces de l'ordre.

— S'cusez m'sieur, s'cusez m'dame, fit un jeune homme du haut de son mètre cinquante, vêtu d'un étrange chapeau style safari et d'un imper, deux tailles trop grandes pour lui.

À force de ténacité, Hunter parvint à se faufiler jusqu'à la banderole délimitant la scène de crime, trop curieux de voir le cadavre recouvert d'un drap noir qui gisait sur la chaussée.

Une fois bien installé aux premières loges, Hunter replaça ses grosses lunettes noires qui avaient glissé sur le bout de son nez et sortit de l'une des poches de son imperméable un crayon et un petit calepin qu'il feuilleta frénétiquement. Puis, comme l'aurait fait un détective professionnel, il promena son œil de lynx sur la scène du crime et se mit à griffonner quelques notes.

En le voyant faire, un des policiers aboya :

— Hé, petit fouineur ! Tire-toi d'ici ! Ce n'est pas un jeu et ce n'est surtout pas un endroit pour un garçon de ton âge.

Voyant que Hunter ne bougeait pas et semblait même vouloir se rapprocher encore plus près du cadavre, le cerbère en uniforme reprit avec autorité :

— Stop ! Fais demi-tour et retourne chez toi !

— Sauf votre respect, m'sieur l'agent, j'y suis et j'y reste ! rétorqua le nouveau venu avec l'insolence de ses treize ans.

Désarmé par l'audace de son jeune interlocuteur, et voyant que ce dernier ne bronchait pas, le policier se mit à fixer Hunter.

— Écoute-moi bien, jeune impertinent, si je te prends à dépasser le ruban jaune ne serait-ce que par le bout de ton nez, je me chargerai moi-même de t'expulser ! termina le policier grognon sur un ton menaçant avant de lui tourner le dos.

— Ouais, c'est ça…, grommela Hunter tout en reportant son attention sur le cadavre.

Voyant que la foule se pressait de plus en plus autour des lieux du drame, le chef de la police s'impatienta et appela des renforts. Quatre de ses confrères arrivèrent au pas de course et formèrent une muraille humaine afin de protéger la scène de crime.

— La fête est terminée ! Dispersez-vous immédiatement ! ordonna l'un d'eux en frappant avec sa matraque la paume de sa main pour inciter la foule à reculer !

— Je parierais que c'est encore le tueur au foulard qui a frappé ! lâcha Hunter en dévisageant le policier devant lui qui arborait une minuscule plaque dorée sur laquelle était inscrit « Sergent L. Logan ».

Imperturbable, ce dernier baissa la tête et fixa Hunter droit dans les yeux. Puis, sur un ton qui n'entendait pas à rire, il lui ordonna :

— File chez toi, petit fouineur avant que je te fasse escorter !

— Bon, ça va… j'ai compris. J'me casse. Pas la peine de vous énerver ! maugréa Hunter en tournant les talons.

Sur le chemin du retour, Hunter n'avait qu'une idée en tête, celle de réintégrer son repaire secret afin de tenter d'élucider ce crime mystérieux.

Une fois à la maison…

« Bang ! »

— Hunter ! C'est toi ? demanda la voix d'Angela, sa mère.

— Oui m'man, c'est moi… Je m'en vais au sous-sol faire mes devoirs

— Attends ! J'ai un message pour toi. Ton amie Chloé a téléphoné deux fois. Elle insiste pour que tu la rappelles. C'est au sujet du comité d'étude.

— On n'est même pas amis, m'mam, grommela Hunter entre ses dents serrées. Grrr ! Ce qu'elle m'énerve cette fille à toujours me relancer !

Je n'ai pas envie de faire partie de son fichu comité, pensa Hunter tout en déposant son imper et son chapeau avec soin sur la patère.

Alors que son fils allait une fois de plus s'isoler, Angela, qui déplorait son comportement introverti, l'interpella avant même qu'il n'ait atteint la porte de la cage d'escalier qui menait au sous-sol :

— Un instant Hunter ! J'aimerais qu'on discute un peu, toi et moi.

De mauvaise grâce, mais résigné, Hunter stoppa son élan et se retourna vers sa mère, prêt à entendre pour la énième fois le sermon concernant son attitude des derniers mois.

— Je te trouve bien solitaire depuis la mort de ton père, déplora Angela. Ça fait deux mois qu'il nous a quittés et, depuis, tu t'isoles, tu portes ses vêtements et même ses lunettes qu'on a ajustées à ta vue...

Après un court silence...

— Hunter... ton attitude m'inquiète. Ça te ferait sûrement du bien de voir des copains de ton âge...

— Non, m'man, ça ne me dit rien ! Comprends-moi... J'ai juste besoin d'être seul. Je ne veux voir personne et surtout pas cet énergumène de Chloé Lacasse. Cette fille me tape royalement sur les nerfs, maugréa Hunter.

— Voyons Hunter ! Je ne t'ai pas élevé comme ça. Chloé ne veut qu'être ton amie...

— C'est justement ça le problème ! Je n'ai pas besoin d'amis. Je suis très bien tout seul ! De toute façon, si tu la voyais, tu comprendrais et tu m'approuverais. Cette fille est trop bizarre et sa façon de se vêtir, c'est du jamais vu ! Quant à ses cheveux... Ouf ! C'est n'importe quoi ! On dirait qu'une tornade lui est passée dessus ! Et là, je ne parle même pas de sa façon de mâcher sa gomme. On dirait, que sa vie en dépend tant elle y met du cœur ! Je n'y peux rien... Cette fille m'énerve ! décréta Hunter.

— Hunter... ne la juge pas trop vite. Chloé semble bien t'aimer, elle.

— Mais pas moi ! J'ai beau l'ignorer, c'est un vrai pot de colle ! Je sais plus quoi faire pour qu'elle me laisse tranquille.

Après un long soupir...

— Bon, je dois y aller m'man, j'ai des devoirs à faire. Et... s'il te plaît, arrête de t'en faire pour moi. Je vais très bien, assura Hunter en descendant d'un pas lourd l'escalier qui menait à son refuge secret, au sous-sol.

***

Depuis la mort de Terry, son père, Hunter s'était refermé sur lui-même. Il ne sortait que très rarement, sauf pour aller à l'école, faire des courses pour sa mère ou pour se rendre sur les lieux d'accidents ou de crimes afin de satisfaire sa curiosité.

Hunter et ses parents avaient déménagé à Londres alors qu'il n'avait que cinq ans. Son père, natif de cette ville, désirait revenir à son lieu de naissance. Angela avait cédé au désir de son mari et ils avaient emménagé dans une belle petite maison de Kensington, quartier bien différent de celui où Hunter habitait au Canada et où il avait vécu une partie de son enfance.

Il avait su s'acclimater rapidement à son nouvel environnement. Mais, le décès de son père avait été pour lui un véritable choc. Depuis le drame, il passait la majorité de ses temps libres dans l'atelier de son défunt paternel, devenu, depuis, son refuge.

Il s'y sentait en sécurité et avait l'impression d'y retrouver un peu de son père. Pour Hunter, celui-ci était mort beaucoup trop jeune et dans des circonstances qui lui semblaient, encore aujourd'hui, des plus nébuleuses...

***

Après avoir passé une bonne partie de la soirée à relire ses notes et à reconstituer la scène du dernier meurtre, Hunter se coucha tôt sans même jeter un coup d'œil à ses devoirs. Alors qu'il glissait doucement dans les bras de Morphée, il se demanda quel stratagème il pourrait bien inventer pour éviter de se retrouver une fois de plus face à face avec « Chloé velcro » comme il l'avait baptisée.

Retour à L'École

Les cours du matin s'étaient écoulés avec lenteur à l'école Kensington Sud, établissement primaire situé dans le bâtiment Victor Hugo sur le site principal du lycée français Charles de Gaulle à Londres. Hunter fréquentait cette école depuis son arrivée en sol européen et, dès sa première année, il avait été étiqueté comme le « nerd ». Son allure et ses notes le classaient en tête dans tous les cours et lui valaient à coup sûr ce titre que bien des étudiants répugnaient à porter. Mais, pour Hunter cela allait de soi. La première partie de l'année scolaire tirait à sa fin et il terminerait premier de classe dans toutes les matières malgré le malheur qu'il l'avait frappé deux mois plus tôt.

Depuis la mort de son père, Hunter avait délaissé les quelques amis qu'il avait à l'école. Comme chaque fois, il passa tout droit devant la table où il avait l'habitude de s'installer avec ses copains et continua son chemin sans même leur jeter un regard. Il s'assit à l'écart afin de manger tranquillement son lunch, les yeux rivés sur son dictionnaire du parfait détective.

— Hé Hunter ! Ça t'arrive de rappeler les gens quand ils te laissent des messages ? lança Chloé Lacasse qui, sans s'excuser, vint s'asseoir brusquement à ses côtés tout en lui donnant un petit coup d'épaule amical.

— *Oh non ! Pas encore elle,* marmonna pour lui-même Hunter. *Moi qui croyais avoir réussi à l'éviter celle-là !*

***

Chloé demeurait un mystère pour Hunter. Chaque fois qu'elle apparaissait à ses côtés en faisant claquer ses affreuses bulles de « gomme », celui-ci se demandait toujours comment une fille aussi bizarre pouvait s'intéresser à un gars comme lui !

Ils étaient tellement différents ! Ils n'avaient pratiquement rien en commun. Lui, genre intello, elle, plutôt spectaculaire avec ses cheveux courts, hirsutes, parsemés de mèches violettes, ses oreilles percées à plusieurs endroits et son air taquin.

Par contre, Hunter devait bien admettre que ses grands yeux verts jade et son nez légèrement retroussé lui donnaient un air rebelle et sympathique à la fois qui ne lui déplaisait pas trop. Ce qu'il aimait moins, c'était sa façon de se vêtir. On repassera ! Aucune autre fille de l'école ne s'habillait comme Chloé Lacasse. Elle avait son propre code vestimentaire et l'effet était plutôt surprenant.

Hunter se souvint de leur première rencontre. Elle s'était présentée à lui en lui disant qu'elle était désolée pour le décès de son père, qu'elle était sûre qu'il lui manquait beaucoup et que tout le monde était bien triste pour lui. Décontenancé, Hunter l'avait remerciée tout en lui déclarant qu'il n'avait pas besoin de la pitié des autres.

Malgré son indifférence, au grand dam de celui-ci, Chloé s'acharnait et continuait de chercher à lui parler et de lui montrer de l'intérêt.

***

Exaspéré, Hunter repoussa ses grosses lunettes noires qui avaient glissé sur le bout de son nez puis jeta un regard en biais à Chloé. Il remarqua qu'une fois de plus elle s'était surpassée. Elle portait une mini-jupe noire sur des collants foncés bardés de rayures multicolores. Elle avait chaussé des bottillons bleus, cirés, et mis un chandail rose-fuchsia sur lequel elle avait enfilé son éternel blouson effiloché, sans manches, parsemé par endroits de fleurs brodées. Pour couronner le tout, autour de son cou flottait un affreux foulard jaune moutarde.

— Normalement... quand on ne rappelle pas quelqu'un, c'est peut-être parce qu'on n'a rien à lui dire ? Qu'en penses-tu ? lui répondit finalement Hunter sur un ton subtil.

— C'que j'en pense ? Ça n'a aucune importance. C'est pas ça qui va m'arrêter ! lui répondit
Chloé en lui faisant un clin d'œil pour ensuite faire
jaillir de sa bouche une énorme bulle qu'elle fit
éclater bruyamment, au grand déplaisir de Hunter.

— Peux-tu t'abstenir de faire ça en ma présence, s'il… te… plaît…, martela Hunter. C'est
dégoûtant et ça me tape sur les nerfs. Bon, allons
droit au but. Qu'est-ce que tu me veux encore ?

— Tu devrais t'y mettre au « chewing-gum »
Hunter. Ça te décoincerait un peu !

Voyant la moue que faisait Hunter, Chloé
poursuivit :

— Bon, OK, on change de sujet. Il paraît
que tu as eu un A+ à l'exam de maths et que tu
n'as même pas étudié ? Enfin… selon ce que dit
Maxime Laprise, ton voisin de pupitre.

— Oui, et alors ! fit Hunter en haussant les
épaules pour ensuite replonger dans son gros bouquin sans démontrer aucune émotion.

— OK, je vois… On n'est pas trop bavard aujourd'hui, reprit Chloé.

Après un bref silence…

— Écoute Hunter… Je sais que tu fais celui qui est au-dessus de tout ça, mais tu sais, c'est normal d'avoir du chagrin. Je voulais que tu saches que je suis là si tu veux en parler… tu sais… je veux dire… pour ton père ?

— Merci ! C'est gentil, mais je vais bien, termina Hunter qui, sentant l'émotion monter, baissa la tête et se replongea une fois de plus dans son livre, signifiant ainsi la fin de la conversation.

Voyant l'attitude fermée de Hunter, Chloé se leva.

— OK… C'est cool… On se voit plus tard ! lui lança-t-elle en s'éloignant.

Sans relever les yeux de son livre, Hunter leva la main gauche en guise de réponse et poursuivit la lecture de son précieux manuel intitulé « L'art d'enquêter » d'après Herbert Fallow.

3

Le repaire

Deux jours s'étaient écoulés depuis sa dernière rencontre avec Chloé. Hunter n'était pas retourné à l'école prétextant des maux de ventre. En ce samedi matin, malgré le beau temps à l'extérieur, il demeura tapi dans son refuge.

« Ding, dong »

— Bonjour m'dame Jones ! Hunter est là ? demanda Chloé tout en mâchant son « chewing-gum ».

Bien que surprise par cette visite impromptue, la mère d'Hunter fit entrer la jeune fille.

— Entre ! Tu dois sûrement être Chloé, lui dit-elle, tout en se rappelant la description que Hunter lui en avait faite.

— Oui, c'est bien moi. En chair et en os ! Vu l'absence d'Hunter à l'école, j'étais très inquiète. Alors, je me suis dit que je devrais passer pour prendre de ses nouvelles.

— C'est gentil à toi. Je le préviens tout de suite, lui dit Angela avec un léger sourire.

— Hunter ! Tu as de la visite, annonça gaiement sa mère en ouvrant la porte qui donnait sur l'escalier du sous-sol. C'est correct pour toi si je la fais descendre ?

Hein ! *Qui peut bien venir me déranger si tôt le matin*, pensa Hunter.

Quelques secondes plus tard…

« Toc, toc, toc, »

— Ouvre Hunter ! C'est moi Chloé ! Allez ouvre ! Je sais que tu es là !

Chloé ? Mais... qu'est-ce qu'elle fait ici ? Et qu'est-ce qu'elle me veut encore ? J'avais pourtant dit à ma mère que je ne voulais pas être dérangé, pesta Hunter en replaçant nerveusement ses lunettes.

— Qu'est-ce qu'il y a encore ? grommela Hunter en entrouvrant la porte de son repaire, un journal à la main.

— Hunter ! Que fais-tu ? On ne t'a pas vu traîner dans le quartier ni à l'école depuis deux jours ! Comme je te connais, tu mijotes sûrement quelque chose ? lança Chloé en jetant un coup d'œil par-dessus l'épaule de son ami. C'est quoi cette pièce ? Une chambre secrète ? Je peux entrer ?

— En plus, t'es curieuse comme une fouine ! reprit Hunter exaspéré en levant les yeux au ciel. Viens ! Allons discuter à l'extérieur.

Soucieux de préserver son repaire secret, il entraîna la visiteuse impromptue dans la cour.

— Écoute Chloé, lui dit Hunter en se dirigeant vers le fond de la cour. J'ai manqué l'école volontairement. J'ai prétexté des maux de ventre parce que je me suis rendu compte que j'avais de la difficulté à digérer la mort de mon père. Je n'avais pas le cœur aux études. Tu comprends... J'ai besoin d'un répit.

— Hum... je comprends et je compatis avec toi. Mais dis-moi, ta mère... elle est au courant pour cette pièce secrète ? demanda Chloé, l'air intriguée, tout en mâchouillant sa grosse gomme.

Décidément, la façon qu'elle a de mâcher sa gomme m'exaspère au plus haut point, pensa Hunter

— Non, elle l'ignore, répondit Hunter qui essayait tant bien que mal de faire abstraction des grimaces que faisait son interlocutrice en mâchant sa chique. Je crois qu'elle ignore même l'existence de la double paroi autour des murs de fondation. Et puis... Grrr ! Tu peux cesser de mâchouiller cette fichue gomme ! Ça m'énerve à la fin ! En plus, ça m'empêche de réfléchir, lui dit Hunter exaspéré en repoussant ses grosses lunettes.

— OK, j'ai compris ! fit Chloé qui, sans aucune grâce, enfonça ses doigts dans sa bouche, attrapa sa grosse chique et la jeta dans le gazon sous le regard désapprobateur de son hôte.

Tout en songeant à l'amas de caoutchouc dégoulinant de salive qui traînait dans le gazon, Hunter poursuivit, l'air dégoûté :

— Depuis la mort de mon père, ma mère ne fait que manger, dormir et travailler. On dirait un vrai zombie. En plus, elle ne vient plus jamais au sous-sol... ça lui rappelle trop mon père qui y passait des heures interminables à bricoler ses inventions qu'il rangeait dans ce local.

— Ah bon. Tu me montreras un jour, quand...

— Oui, oui, un jour peut-être..., coupa Hunter, l'air taciturne. Dis donc, Chloé... pourquoi viens-tu me déranger chez moi alors que je suis en plein travail ! On n'est pas amis à ce que je sache ! Tu es seulement la présidente du comité des élèves ! Cela ne te donne pas le droit de venir me relancer ici et d'enquêter sur mes absences !

— Wow ! On se calme ! Premièrement, t'exagères pas un peu en disant que tu travailles… Franchement ! Secundo, et bien je… C'est-à-dire que je…

— Aboutis, Chloé, je n'ai pas que ça à faire de t'écouter, lâcha Hunter exaspéré devant l'embarras de son interlocutrice qui semblait soudain chercher ses mots.

Après un moment d'hésitation…

— Hé bien… Y'a que je m'inquiétais pour toi, laissa tomber Chloé qui baissa la tête en rougissant tout en donnant du pied sur le gazon pour ne pas laisser voir son malaise à Hunter.

Après quelques secondes de silence, le temps nécessaire pour recouvrer ses esprits, Chloé releva la tête.

— Oh ! et puis, tu sauras que je ne suis pas la seule à me questionner. Tes amis à l'école s'inquiètent pour toi. Mais… personne n'ose venir te déranger. Tes anciens copains sont mal à l'aise à cause de ce que tu traverses. Tu t'isoles de plus en plus dans tes bouquins, créant par ton attitude une barrière infranchissable pour tous ceux qui t'estiment. Ils aimeraient bien retrouver le Hunter d'avant !

— Ah bon…, fit Hunter surpris, qui replaça une fois de plus ses lunettes comme si c'était devenu un tic nerveux.

— Hunter… tu sembles oublier que tu avais une vie avant la mort de ton père. Et dis-moi… Pourquoi portes-tu ces affreuses lunettes qui te donnent un air intello ? Et puis… tu dis que tu travailles maintenant ? Que fais-tu de tes cours ? Tu ne peux pas manquer l'école et t'enfermer continuellement dans ton sous-sol ? Ce n'est pas la première fois que tu t'absentes, les gens commencent à s'inquiéter ?

— Est-ce que j'ai manqué quelque chose à l'école pendant mon absence ? Parce qu'à t'entendre parler, on jurerait que tu as été promue directrice d'école ! lâcha Hunter presque méchamment tout en fixant Chloé.

— Tu te penses drôle peut-être ! Tu as beau être sarcastique, Hunter Jones. Ça ne fonctionne pas avec moi et ce n'est pas ça qui va me décourager d'être avec toi. Maintenant... est-ce que tu vas me dire ce que tu mijotes ? questionna-t-elle en croisant les bras pour lui faire comprendre qu'elle ne partirait pas tant qu'elle n'aurait pas une réponse satisfaisante.

Hunter, vaincu par l'entêtement de son interlocutrice, lui tendit le journal :

— Ça t'arrive de lire les journaux ? Toute la ville est en émoi. Le tueur a encore frappé ! laissa tomber Hunter, soucieux.

— Oui ça m'arrive de lire les journaux, j'suis pas complètement illettrée ! répliqua Chloé, insultée par l'attitude d'Hunter, en lui rendant son journal. Pour le reste, si tu fais allusion au tueur au foulard, et bien je suis au courant. Il faudrait vraiment vivre sur une autre planète pour ignorer ce qui se passe ! La ville entière en parle. Mes parents sont inquiets et ils insistent pour que je ne traîne pas trop après l'école. Ils disent que les rues ne sont plus sûres à présent, spécialement à la tombée du jour.

— Balivernes ! À ce qu'on dit, toutes les personnes qui ont été assassinées font partie de la mystérieuse confrérie des Seigneurs de Méliakin. Tu crois vraiment que le tueur s'en prendrait à des jeunes comme nous ? Voyons... c'est sans intérêt, grommela Hunter l'air pensif.

— Tu crois ?

— Évidemment ! Ça ne tient pas la route. De toute façon, j'ai ma propre hypothèse. Le meurtrier fait tout ça pour attirer l'attention des médias. J'ignore pourquoi, mais j'y travaille... Mon petit doigt me dit qu'il cherche quelque chose. Et tant qu'il ne l'aura pas trouvé, il continuera de tuer un à un les membres de cette confrérie secrète, précisa Hunter en se grattant la tête comme s'il cherchait à comprendre les motifs pouvant pousser le meurtrier à commettre tous ces crimes.

— Hunter ! Ne me dis pas que tu as l'intention de mettre ton nez dans cette sombre histoire ? interrogea Chloé, un rien d'inquiétude dans la voix.

— Et pourquoi pas ? riposta Hunter. La police n'arrive pas à coincer le tueur au foulard... Je ne peux certainement pas faire pire !

— Ah bon ! Je comprends maintenant pourquoi on ne te voit plus traîner dans le quartier, remarqua Chloé.

Tout en dévisageant Hunter, l'air de rien, elle s'empara d'une nouvelle boule de gomme qu'elle fit prestement disparaître dans sa bouche, et lui déclara avec sérieux :

— Hunter ! Je veux me joindre à toi pour cette enquête.

Ce dernier éclata de rire puis, devant l'air contrarié de Chloé, il répliqua :

— Tu n'es pas sérieuse ?

La jeune visiteuse continua à fixer Hunter droit dans les yeux sans émettre aucun commentaire.

— Non, mais tu nous imagines, toi et moi sur une scène de crime, continua Hunter, voulant dissuader Chloé. Deux tempéraments opposés, ça ne peut que foirer.

Voyant l'air buté de Chloé, Hunter se mit à la détailler de la tête aux pieds et déclara d'un ton désapprobateur :

— C'est hors de question ! Tu as perdu la tête ou quoi ? C'est beaucoup trop dangereux !

Bien que touchée par le ton protecteur utilisé par Hunter pour la convaincre de renoncer à se joindre à lui, Chloé répondit en lui lançant un regard plein de défi :

— Tu doutes de mes capacités ? Je suis prête à te parier n'importe quoi qu'à nous deux nous réussirons à résoudre l'énigme du tueur au foulard durant la période de relâche scolaire qui commence lundi, rétorqua Chloé en fixant Hunter, le regard brillant de conviction.

Non mais je rêve ! Il faut absolument que je trouve un moyen de me débarrasser d'elle. Une semaine entière avec elle sur le dos, c'est trop me demander, pensa Hunter tout en cherchant un moyen de se défiler et couper court à la conversation.

— Écoute Chloé… Je ne pense pas que ce soit une bonne idée. Je ne sais pas quoi te dire sauf que j'ai besoin d'y réfléchir. Reviens demain. Pour l'instant, j'ai des trucs à terminer dans…

— Ton repaire secret, devina Chloé.

— Ouais, c'est ça… Bon, je dois te laisser. À plus ! coupa Hunter avant de tourner les talons et de prendre la direction de chez lui, son journal à la main.

Tout en repartant chez elle, Chloé repensait à la discussion qu'elle venait d'avoir avec Hunter. Elle savait qu'elle venait de semer un certain doute dans l'esprit de son nouvel ami et elle avait bon espoir qu'il réponde positivement à sa proposition. L'idée de passer une semaine complète avec le mystérieux Hunter Jones lui procurait une joie indescriptible.

***

Plus tard cette journée-là...

— M'man ! Je dois aller à la bibliothèque. J'ai des recherches à faire, annonça Hunter à sa mère en attrapant son sac à dos dans le vestibule.

— Bien Hunter ! Mais, reviens pour le repas du soir et surtout, sois prudent ! Je suis très inquiète avec ce tueur qui rôde dans les parages. On ne sait jamais ce qui peut arriver.

— T'en fais pas m'man. Ce criminel a autre chose à faire que de terrifier des ados, assura Hunter après avoir enfilé l'imper beige et le chapeau de son défunt paternel, un peu trop grand pour lui.

— OK, mais sois quand même...

« Bang ! »

— ... prudent. Cher Hunter... Il est bien comme son père, solitaire et mystérieux, soupira Angéla, en replongeant dans le roman qu'elle peinait à terminer, luttant encore et toujours pour ne pas penser à Terry, son défunt époux qui lui manquait beaucoup.

Contrairement à ce qu'il avait dit à sa mère, Hunter ne prit pas le chemin de la bibliothèque, mais plutôt celui des bas quartiers de Londres où avaient eu lieu les pires meurtres de son histoire. Whilechapel… rien que d'y penser, Hunter en avait des frissons dans le dos. À l'époque, Jack l'Éventreur avait grandement contribué à la mauvaise réputation de ce quartier. Mais, Hunter n'avait pas le choix, il devait y aller, car le tout premier meurtre de cette nouvelle série de crimes odieux y avait été commis.

Arrivé sur place, Hunter se retrouva dans une ruelle mal éclairée. Il sortit de l'une de ses poches, sa lampe torche, son petit calepin et son crayon puis se mit à scruter les lieux tout en prenant des notes comme le ferait un détective aguerri.

— Hum... selon les médias, c'est ici que tout a commencé avec l'assassinat du comte de Louisbourg, qui fut la première victime du tueur au foulard, marmotta Hunter en regardant sur le sol le tracé à la craie à peine visible de la silhouette de la victime.

Totalement concentré à son examen des lieux, Hunter sursauta soudain lorsqu'il entendit derrière lui un bruit suspect. Ce dernier semblait provenir de la benne à ordure d'un commerce dont la porte arrière donnait sur la ruelle. Avec pour seule arme sa lampe de poche et son courage, le jeune détective s'avança doucement près de l'endroit d'où avait semblé provenir le mystérieux bruit.

— Qui va là ? lâcha Hunter en s'approchant un peu plus près, le regard rivé sur la grosse poubelle comme s'il allait en sortir un monstre hideux.

Alors qu'il arrivait à deux mètres de la benne, Hunter s'arrêta net, surpris par une boîte de conserve qui roula devant lui et le fit sursauter. Le cœur battant à tout rompre, il revint sur ses pas. C'est alors que, sans crier gare, un gros chat effrayé par l'arrivée du jeune limier bondit hors de sa cachette.

— Oufff ! Ce n'est qu'un vulgaire chat de gouttière, soupira Hunter, soulagé, en replaçant ses lunettes.

Alors qu'il s'apprêtait à faire demi-tour, sa lampe allumée toujours en main, une lueur, au ras du sol, attira son attention. Hunter se pencha et vit, derrière le conteneur à déchets, une crevasse dans laquelle reposait un objet qui brillait sous l'éclairage de sa lampe de poche.

Utilise ta loupe et aide Hunter à trouver son premier indice

— Hum… sans doute une **CIÈPE** perdue par un passant, songea Hunter en la ramassant avec précaution.

Après avoir balayé le voisinage du regard, Hunter sortit sa loupe et se mit à examiner sa trouvaille.

— Mais… ce n'est pas une banale **CIÈPE**! s'exclama le jeune détective dont le regard s'illumina soudain.

Il venait de lire sur une des faces l'inscription suivante :

Confrérie des Seigneurs de Méliakin

Curieux de voir ce qu'il y avait sur le revers, il la retourna et vit deux serpents qui s'entrecroisaient autour d'une épée coiffée d'une couronne garnie de joyaux.

— Hé mon gars ! Que fais-tu à traîner ici ?

Perdu dans sa contemplation, Hunter n'avait pas remarqué qu'un policier en vélo, qui faisait sa ronde, venait d'arriver sur ces entrefaites.

Surpris, Hunter releva la tête tout en faisant glisser habilement sa précieuse trouvaille dans la poche de son imperméable.

— Euh… Rien, m'sieur l'agent. Je cherchais mon chat, répondit Hunter un peu embarrassé.

— Hé petit ! Tu ne lis pas les journaux ? Il y a un tueur en liberté. Tu ne devrais pas traîner par ici. Si tu veux un conseil d'ami, rentre chez toi avant qu'il ne t'arrive malheur, recommanda le policier.

Hunter le salua avant de déguerpir, trop heureux de sa découverte.

— Bien m'sieur ! Je pars tout de suite. Bonne nuit !

Avec le sentiment du devoir accompli, le gendarme, armé de son gourdin, reprit sa ronde sans avoir remarqué le petit sourire de satisfaction sur le visage de Hunter qui venait de mettre la main sur son premier indice…

Une nouvelle alliée

« Tic… tic… tic… »

— Grrr… veux-tu bien me dire qui fait tout ce boucan si tôt le matin ? maugréa Hunter encore somnolent.

Il chercha à tâtons ses lunettes sur sa table de nuit. Lorsqu'il mit la main dessus, il les posa sur le bout de son nez.

« Tic… Tic… Tic… »

D'un geste brusque, Hunter repoussa ses couvertures, se leva en titubant et s'avança jusqu'à la fenêtre. Une fois les rideaux ouverts, le soleil éblouissant l'obligea à fermer les yeux une fraction de seconde. Quand, tout doucement, il ouvrit un œil, il aperçut Chloé qui gesticulait devant la vitre, un journal à la main.

C'est pas vrai ! pensa Hunter en tirant brutalement les rideaux.

Il enfila un chandail et un pantalon et jeta un coup d'œil à son réveille-matin qui indiquait 7 heures du matin.

— Grrrrrr... en plus d'être collante, « Chloé velcro » est matinale ! J'aurais pu dormir encore deux bonnes heures, grommela Hunter.

Au rez-de-chaussée, Hunter trouva la maison bien tranquille. Il se souvint alors que, malgré les vacances scolaires, sa mère travaillait et qu'elle avait dû quitter la maison très tôt pour se rendre à son boulot.

À peine avait-il ouvert la porte, que Chloé entrait en coup de vent en criant :

— Hunter ! Il faut absolument que tu voies ça !

— Wow ! On se calme ! Qu'est-ce qu'il y a de si urgent pour que tu viennes me réveiller de si bon matin ? maugréa un Hunter encore somnolent tout en se grattant la tête.

— C'est le tueur au foulard ! Il a encore frappé. Cette fois-ci, c'est le pauvre monsieur Rosenberg, le bibliothécaire qui y est passé ! lâcha Chloé, dans tous ses états.

— Quoi ! Monsieur Rosenberg ? Montre-moi le journal, fit Hunter en l'arrachant des mains de la visiteuse. Hum… j'ignorais qu'il faisait partie de cette confrérie.

— Hunter ! Penses-y deux minutes. Il est question ici d'une confrérie secrète ! Ils ne vont quand même pas publier le nom de leurs membres dans les journaux.

— Ouais… t'as bien raison. C'que je peux être bête parfois ! admit difficilement Hunter.

— Ah ! C'est pas moi qui l'ai dit, le taquina la jeune fille avec un air moqueur.

— Bon, OK ! Pousse pas ta chance Chloé Lacasse, grommela Hunter.

— On doit régler un problème, reprit Chloé en faisant fi de la dernière remarque de son ami.

— Un problème ! Quel problème au juste ? fit Hunter, intrigué.

— Tu m'as demandé de revenir aujourd'hui, alors me voilà ! As-tu réfléchi à ma proposition ? demanda Chloé avec enthousiasme.

Elle a de la suite dans les idées celle-là, pensa Hunter.

— Oups ! J'ai oublié... lui dit-il l'air faussement désolé.

Puis, voyant la détermination sur le visage de Chloé, Hunter reprit :

— Bon... c'est d'accord... J'accepte de te prendre comme partenaire. Mais... à certaines conditions.

— Ah bon ! Lesquelles ? s'empressa de demander Chloé.

— Si la situation dégénère, tu te retires de l'enquête *subito presto* ! Je prendrai tout le blâme… Tu comprends, je ne veux pas te mettre en danger inutilement, précisa Hunter qui, sournoisement, se réservait l'occasion de la retirer de l'enquête si les choses n'allaient pas selon son goût.

Ravie par le petit côté protecteur d'Hunter, Chloé répondit du tac au tac :

— Même chose pour moi ! Je te promets de faire tout en mon possible pour te sortir du pétrin si tu as des ennuis, déclara-t-elle en guise de serment. Et toi ?

— Bah… oui, quelle question ! fit Hunter.

Chloé tendit sa main droite à Hunter pour sceller leur association. Ce dernier mit ses deux mains dans ses poches lui démontrant ainsi qu'il n'avait pas l'intention de conclure leur accord aussi rapidement.

— Qu'est-ce qu'il y a encore ? demanda Chloé.

— Je n'ai pas tout à fait terminé, précisa Hunter. Je t'ai dit qu'il y avait des conditions. Il en reste une dernière !

— Ah oui, laquelle ? fit Chloé un peu craintive.

— Lorsque tu es avec moi, tu laisses de côté ta fichue gomme à mâcher, négocia Hunter, l'air très sérieux.

— Y'a pas de problème, acquiesça Chloé en tendant sa main droite à Hunter tout en prenant soin de croiser l'index et le majeur de sa main gauche bien cachée derrière son dos.

— Bon ! Qu'est-ce qu'on fait à présent et par où commence-t-on ? interrogea Chloé.

— Viens ! Suis-moi. On va commencer par prendre le petit déjeuner, répondit Hunter dont l'estomac vide commençait à se manifester.

Après un bâillement phénoménal, Hunter se dirigea avec sa nouvelle complice vers la salle à manger pour y boire un grand verre de jus d'orange. Pendant qu'il écoutait attentivement Chloé lui faire part de ses hypothèses concernant les motifs du tueur au foulard, Hunter en profita pour se préparer un bol de céréales et deux rôties qu'il tartina généreusement de confiture aux framboises.

Un vrai moulin à paroles cette fille ! Comment je vais faire pour m'habituer à ça ? pensa-t-il tout en regardant Chloé qui gesticulait et n'arrêtait pas de se promener de long en large dans la cuisine.

Étourdi par le manège de sa visiteuse, Hunter décida de couper court à son envolée verbale :

— Hé ! Chloé ! Hier soir, j'ai trouvé quelque chose d'intéressant dans la ruelle derrière le resto du père Georges.

Étonnée, Chloé se figea :

— Et c'est maintenant que tu te décides à me mettre au courant, lança-t-elle, les deux mains sur les hanches. Qu'est-ce que t'attends ? Montre-moi vite ! Je suis curieuse de voir ce que c'est.

— Laisse-moi finir mon « petit-déj. », je te montrerai après, marmonna Hunter entre deux bouchées.

Impatiente, Chloé chercha machinalement une gomme dans la poche de son blouson de jeans. En possession de l'objet convoité, elle s'apprêtait à l'enfouir dans sa bouche grande ouverte lorsqu'elle croisa le regard assassin de Hunter. Se rappelant alors le pacte qu'ils avaient conclu, elle remit dans sa poche la friandise en se disant que ce n'était que partie remise.

Son petit déjeuner terminé, Hunter enfila ses chaussures et descendit au sous-sol, talonné par Chloé qui avait très hâte de découvrir le lieu secret où se terrait son nouveau complice.

Une fois en bas des escaliers, Hunter s'arrêta net devant une porte fermée à double tour. Il repoussa ses lunettes fétiches sur son nez, puis, se retournant, il fixa sa nouvelle associée droit dans les yeux et déclara d'un ton solennel :

— Chloé Lacasse ! Promets sur ton honneur que tu ne révéleras à personne l'emplacement de mon labo et que tout ce que tu y verras demeurera sous le sceau du secret !

— Je le promets ! fit sa nouvelle alliée en levant la main pour faire plus solennel.

Ce qui, pour une rare fois, fit sourire Hunter, amusé de voir Chloé si intriguée par son petit univers.

Convaincu de sa loyauté, il sortit de sa poche un trousseau de clés. Quand la porte s'ouvrit, Chloé remarqua que le mystérieux local ne révélait rien de bien spécial. Comme dans n'importe quel autre établi, il y avait des étagères bourrées d'outils. Elle vit sur une table des objets qui semblaient en cours de réparation. Des morceaux de robots culinaires et de radios démontées étaient éparpillés de-ci de-là comme si quelqu'un s'était amusé à en extraire certaines pièces bien précises.

— C'est ça ! Ton fameux labo secret. On est loin d'un laboratoire digne des agents du FBI ? dit Chloé, déçue.

— Tu n'es pas du genre patient, toi, rétorqua Hunter. Tout cela, ce n'est qu'une façade ou, si tu veux, une couverture pour ma mère qui n'est au courant de rien…

Hunter se dirigeant ensuite vers le fond du local.

— Suis-moi ! lui intima-t-il.

Face à la paroi du fond, il s'arrêta devant une peinture où trônait un voilier ballotté par une mer agitée.

— C'est toi qui as peint ça ? demanda Chloé en voyant Hunter décrocher le tableau, dévoilant du coup une série de vis enfoncées dans le mur.

— Non, c'est mon père, répondit Hunter tout en dépliant le petit tournevis de son couteau de poche.

Il se mit ensuite à dévisser l'une d'entre elles. À mi-chemin, un fort déclic se fit entendre. Sous le regard étonné de Chloé, toute une partie du mur disparut derrière la paroi.

Sans hésiter, Chloé suivit Hunter. La double paroi longeait les murs de fondation.

— On se croirait dans le repaire d'un agent secret, lâcha Chloé ébahie.

Nos deux acolytes suivirent un trottoir étroit qui s'étirait sur près de deux mètres. Ce dernier les conduisit à une petite porte d'environ un mètre carré, taillée dans le mur de béton des fondations.

— WOW ! s'exclama Chloé en voyant son ami ouvrir la mystérieuse porte à la manière d'un coffre-fort pour ensuite s'engouffrer dans une nouvelle pièce souterraine.

Cette dernière, aux murs capitonnés, faisait un peu moins de deux mètres de hauteur par trois de large et deux de profondeur.

— Voilà ! dit Hunter, le visage illuminé. C'est ici que je travaille et que j'améliore certaines inventions de mon père. Tu comprends maintenant pourquoi je ne veux pas que tout le monde soit au courant de mon labo.

— Ça alors ! Tu crois que ton père travaillait pour Scotland Yard ou un truc du genre ?

— Non, je ne crois pas. Comme je te l'ai dit, il était inventeur à ses heures. Mais, ce n'est qu'après sa mort que j'ai découvert qu'il travaillait également sur des projets secrets. Par contre, je ne sais pas pour le compte de qui, ni à quoi servaient les armes qu'il fabriquait.

— Donc, si je comprends bien, ton père menait une double vie, conclut Chloé intriguée par tous les objets qui reposaient sur les étagères de métal.

Hunter regarda tout autour de lui et répondit :

— Je ne sais pas, mais, depuis la mort mystérieuse de mon...

Soudain submergé par un flot d'émotions, il fut incapable de poursuivre sa phrase. Il repoussa ses grosses lunettes, respira un bon coup et, après quelques secondes passées à regarder Chloé droit dans les yeux, il lui dit le plus sérieusement du monde:

— Depuis la mort mystérieuse de mon père, je me pose beaucoup de questions qui demeurent sans réponse. C'est pourquoi j'ai décidé de devenir enquêteur. Un jour je serai le meilleur des enquêteurs et je parviendrai à résoudre le mystère entourant sa mort. Je suis persuadé que ce n'était pas un accident comme certaines personnes veulent bien le laisser entendre, révéla Hunter, une larme au coin de l'œil.

— Je comprends... Ça n'a pas dû être facile pour toi... Et ta mère ? Elle ne savait rien des mystérieuses occupations de ton père et de cette pièce secrète ? poursuivit Chloé en jetant un coup d'œil vers l'établi.

Sur ce dernier trônait une lampe-loupe et à côté un banc et une armoire de métal bourrée de trucs appartenant à Hunter.

— Non ! Mon père ne lui en a jamais parlé. Moi, c'est par pur hasard que j'ai découvert son labo. Ma mère m'avait demandé de ranger des choses dans son local. Elle insistait pour que je jette aux ordures cette affreuse peinture qu'il avait faite. Lorsque j'ai décroché le tableau, j'ai aperçu une des vis qui dépassait du mur. À cette époque, je n'y connaissais rien en bricolage. J'ai attrapé un tournevis et je me suis mis à dévisser la vis alors qu'en réalité je voulais faire le contraire. Étrangement, après un seul tour un déclic sonore s'est fait entendre. C'est à ce moment que j'ai découvert la double cloison qui m'a conduit à la porte secrète menant au laboratoire de mon père. Sur place, j'y ai trouvé beaucoup de ses effets personnels. Il y avait également ses lunettes qu'il avait oubliées sur son établi le jour de son accident, précisa Hunter en retirant celles-ci pour les essuyer avec son chandail.

— Ouff ! Comme tu as dû être troublé de découvrir cette double vie que menait ton père ? chuchota Chloé. Je comprends maintenant ton attachement pour ces lunettes. Tu te sens un peu plus proche de ton père quand tu les portes.

— En effet ! Mais…

Après quelques secondes d'hésitation, Hunter poursuivit en disant :

— À force de fouiller dans ses papiers et d'examiner ses prototypes, j'ai découvert rapidement que mon père ne travaillait pas uniquement à l'invention de robots culinaires comme il le prétendait, mais également sur des armes secrètes capables de venir à bout des plus dangereux criminels. D'ailleurs, son dernier projet était très impressionnant. Selon les plans que j'ai trouvés, il avait inventé un fusil paralysant. Hélas, il a été tué avant d'avoir pu achever son invention...

— Non ! sans rire ! s'exclama Chloé impressionnée par ces révélations.

— Hélas... C'est la pure vérité. Sa passion aura eu raison de lui, conclut le jeune enquêteur qui essuya une larme du revers de son poignet.

— Hunter... Et si tu me montrais ce que tu as découvert hier soir, suggéra Chloé pour lui changer les idées.

— Ah oui ! J'oubliais..., reprit-il en sortant d'un petit coffret métallique, une pièce d'argent qu'il déposa sur l'établi pour ensuite approcher la lampe loupe. Regarde ! Tu vois le dessin sur la pièce ?

— Attends ! Mais... c'est une pièce arborant les armoiries des Seigneurs de Méliakin ! Ils sont rares les non-initiés qui ont la chance d'en voir une de si près, précisa Chloé impressionnée.

— Pourquoi ? dit Hunter, intrigué que son amie en sache autant sur le sujet.

— Selon ce que mon père m'a dit, cette confrérie posséderait leurs propres armoiries ainsi que leur monnaie que les membres s'échangent entre eux contre des biens.

— Qu'est-ce que tu veux dire ? Explique-toi... je ne comprends vraiment pas où tu veux en venir, fit Hunter perplexe.

— Eh bien... Selon ce que m'en a dit mon père, qui l'a su de mon oncle Jean qui, lui, l'a appris d'un ami qui appartenait autrefois à cette confrérie...

— Un instant ! coupa Hunter, sceptique. Ça en fait des intermédiaires ! Ça me semble loin d'être une source sûre...

— Au lieu de critiquer, écoute donc ce que j'ai à dire. Tu jugeras après, riposta Chloé. Donc, comme me disait mon père qui le détenait de mon oncle Jean qui, lui, l'a appris d'un ami qui appartenait à la confrérie, reprit Chloé l'air taquin, pour posséder des pièces d'argent comme celle que tu as trouvée, les initiés doivent les mériter en exécutant des actions et travaux spéciaux. Plus le geste est honorable, plus la valeur de la pièce allouée par le trésorier sera grande.

— Sérieux ? demanda Hunter, intrigué.

— Tout à fait ! Et écoute bien ce qui suit, reprit Chloé. En entrant dans cette confrérie, un Seigneur de Méliakin junior reçoit trois pièces d'argent qu'il aura à faire fructifier selon son talent, ses ressources ou ses contacts, afin de pouvoir accéder au second niveau, ou un truc du genre... La vocation de cette confrérie aux yeux de tous c'est de venir en aide aux plus démunis. Mais, comme c'est une confrérie secrète, eh bien… il y en a beaucoup qui pensent que ce n'est qu'une couverture afin de cacher sa véritable vocation.

— Je suis d'accord. Selon moi, l'aide aux démunis n'est qu'une façade ! commenta Hunter qui semblait réfléchir tandis que Chloé continuait ses explications.

— Je ne sais pas si ça peut t'aider, mais j'ai entendu mon père dire à Jules, notre voisin, que la confrérie avait des ramifications jusque dans les hautes sphères de la société... Le comte de Louisbourg en est la preuve flagrante. C'était un grand mécène, mais, également un homme d'affaires aguerri et respecté de tous ! Mes parents ont même dit que c'était une grande perte pour notre communauté, conclut Chloé, l'air pensif.

— Tiens... Tiens... Tiens... mais c'est très intéressant, marmotta Hunter, dont les méninges fonctionnaient à plein régime.

Tant mieux ! pensa Chloé, heureuse de constater qu'elle avait suscité l'intérêt d'Hunter.

Après un court silence passé à réfléchir...

— Viens, Chloé ! Je... nous avons une enquête à mener ! lança Hunter en se dirigeant vers la penderie de l'entrée où il décrocha son costume de détective, qu'il enfila prestement.

Vêtu de son imper beige et coiffé de son chapeau-feutre, il a l'air de sortir tout droit d'une bande dessinée, pensa Chloé.

Hunter vérifia qu'il avait bien son calepin et son crayon dans ses poches, puis il fit signe à Chloé de le suivre.

— On va où ? lui demanda-t-elle en retenant avec peine son envie d'éclater de rire devant son accoutrement.

— Ne pose pas de question et suis-moi. Tu verras bien une fois que nous serons sur les lieux…

Une précieuse complice

Durant tout le trajet à vélo, Hunter et Chloé n'échangèrent aucun mot, chacun perdu dans ses pensées respectives.

Hunter se disait en lui-même qu'il avait bien fait de ne pas mentionner l'endroit vers lequel ils se dirigeaient. C'est consciemment qu'il avait caché à Chloé leur destination, sachant très bien que cette dernière se serait défilée si elle avait su qu'ils traverseraient certains quartiers mal famés de la ville.

Chloé, quant à elle, ignorait totalement l'endroit où ils se dirigeaient, mais sa nature aventureuse prenait le dessus sur son appréhension et elle trépignait d'impatience de voir ce que lui réservait Hunter. Elle était plutôt excitée à l'idée de cette balade clandestine.

— Oyez ! Oyez ! Tout sur le saccage au musée des civilisations ! hurlait le vendeur de journaux, proclamant à grands cris la une du quotidien local.

— Tu as entendu ça ! lança Chloé alors qu'ils arrivaient tout près du kiosque.

— Je vais jeter un coup d'œil à ce journal, décida Hunter.

Une fois arrivé près du camelot, il lui tendit deux pièces en échange d'un exemplaire qu'il s'empressa de planquer sous son bras.

Il pédala à vive allure et se dirigea vers une table au centre d'un grand parc urbain où il s'installa après avoir laissé choir son vélo, aussitôt imité par sa nouvelle complice.

— Et puis ! s'impatienta Chloé en voyant Hunter dévorer l'article silencieusement.

— C'est le musée ! Quelqu'un l'a saccagé hier soir.

— Ça, je l'avais compris ! répondit Chloé, impatiente. Est-ce qu'ils donnent d'autres détails ?

— Ils disent que tout a été mis sens dessus dessous, mais que rien n'a été volé. C'est très étrange…, fit Hunter en se frottant le menton.

— Hum… tu as raison. Qui aurait intérêt à s'introduire par effraction dans un musée et repartir les mains vides ? s'interrogea Chloé, intriguée.

— Et si c'était relié à cette vague de meurtres inexpliqués, marmonna Hunter qui réfléchissait à voix haute.

— Hein ! Mais quel rapport peut-il y avoir entre le vandalisme au musée des civilisations et l'affaire du tueur au foulard ? demanda Chloé, incrédule.

— Je ne sais pas moi ! Peut-être que la confrérie des Seigneurs de Méliakin possède un trésor ou un objet hyper important qu'ils cachent dans ce musée.

— Non ! Tu crois vraiment que le saccage du musée serait relié au tueur au foulard ? réitéra Chloé. Mais, attends un peu Hunter ! Ça me revient maintenant ! Lorsqu'il avait été question de la fermeture du musée, je me souviens que celle-ci avait été évitée de justesse. J'ai assisté à une conversation entre mon père et le voisin. J'ai cru comprendre qu'à l'époque, les vrais propriétaires du musée étaient les membres de la confrérie de Méliakin et qu'ils avaient contribué à sa survie.

— Bravo Chloé ! Ça, c'est une info importante ! Avec ce que tu viens de me révéler, mon petit doigt me dit qu'il y a bel et bien un lien entre le saccage du musée et le tueur au foulard. Je me rappelle avoir lu récemment qu'un mystérieux donateur aurait fait un généreux don au musée. Ce qui leur a permis d'acquérir le célèbre sarcophage renfermant la dépouille du pharaon Nonemon II. Hum… je crois que nos plans viennent de changer.

On doit aller jeter un coup d'œil autour de ce musée. Si l'on trouve un indice renforçant mes soupçons, on reviendra ce soir. C'est vital pour notre enquête !

— Mais Hunter ! Tu n'y penses pas ! Le musée des civilisations ! C'est un immense bâtiment. Je ne veux pas être rabat-joie, mais tu sembles oublier que c'est l'un des endroits les plus surveillés de la ville. En plus, on risque de se faire prendre. Je te trouve très audacieux, tout à coup, lui fit remarquer Chloé.

— Écoute Chloé… pour l'instant, c'est la cohue au musée. Personne ne nous remarquera. Rien ne t'oblige à me suivre. Tu peux très bien retourner chez toi. Ne te gêne surtout pas, rétorqua Hunter en se dirigeant vers l'endroit où ils avaient abandonné leurs vélos.

— Bon, ça va, je suis partante, reprit Chloé, tout en suivant Hunter d'un pas hésitant. Mais, ne viens pas te plaindre si on se fait prendre ! J'aime mieux te le dire tout de suite. S'ils nous surprennent à rôder autour, ils vont croire que c'est nous qui avons vandalisé le musée.

— Franchement Chloé, ce que tu peux être mélodramatique quand tu t'y mets ! Deux jeunes de notre âge qui vandaliseraient un musée ! De toute façon, il faut savoir prendre des risques lorsqu'on est enquêteur privé, lâcha Hunter en lui décochant un clin d'œil avec un rien de ruse au fond des yeux.

— On laisse les vélos ici et on continue à pied, décréta Hunter. On les récupérera plus tard.

Arrivés devant le musée…

— T'as vu Hunter, je te l'avais dit ! Ça grouille de policiers qui entrent et sortent du musée. En plus, ils ont érigé un périmètre de sécurité, remarqua sa complice. On ne pourra jamais se faufiler sans attirer l'attention.

— C'est très mal me connaître, laissa tomber Hunter.

Il examina les lieux et analysa la scène de crime puis, au bout de quelques secondes, il pointa du doigt un endroit très précis.

— Je le savais ! Regarde ! Ils ont barricadé la fenêtre du côté gauche de l'édifice. Cela signifie que le cambrioleur est passé par là ! Donc, il peut avoir laissé un indice de son passage. Viens ! Suis-moi ! insista Hunter en faisant signe à Chloé de se coller le long du grand mur de briques.

Nos deux espions en herbe se faufilèrent discrètement derrière le bâtiment et arrivèrent bientôt à proximité de la fenêtre barricadée.

— Chloé, aide-moi ! Nous devons examiner chaque parcelle de terrain située dans ce périmètre, suggéra Hunter tout en lui indiquant les limites où devaient s'effectuer les recherches.

Après avoir regardé attentivement le sol parsemé d'éclats de verre, ils se dirigèrent vers le parterre de la cour voisine.

— Chloé, regarde ! fit Hunter en désignant des empreintes de pas encore fraîches laissées dans le parterre entourant le musée. Quelqu'un est passé par ici et il était très pressé si je me fie aux dégâts qu'il a faits. Il n'a même pas regardé où il mettait les pieds.

— Hunter ! Regarde ça ! fit Chloé qui venait de repérer, entre deux plants de fleurs écrabouillés, un objet brillant ressemblant étrangement à un bouton de manchette doré.

Alors qu'Hunter ramassait la précieuse pièce à conviction, il eut l'impression qu'on le surveillait. À peine relevé, une grande main s'abattit sur son épaule. Surpris, il regarda Chloé qui, figée, arborait un faciès crispé par la peur. Il comprit alors qu'il venait de se mettre les deux pieds dans les plats.

Hunter rajusta ses lunettes qui avaient glissé sur le bout de son nez, ce qui lui permit de reprendre le contrôle de ses émotions et, mine de rien, il se retourna tranquillement. Étonné, il vit devant lui, l'agent de police au visage grognon qu'il avait croisé quelques jours plus tôt sur la scène de crime du tueur au foulard.

Décidément… Ce n'est vraiment pas mon jour de chance, pensa Hunter.

— Encore toi ? T'es un vrai petit fouineur ! Il me semble t'avoir déjà dit que les scènes de crime ce n'étaient pas des terrains de jeu. Fiche le camp d'ici ! Je ne veux plus te voir traîner dans les parages, grommela le policier malcommode.

— Avez-vous une idée de qui a fait ça ? demanda poliment Hunter qui n'en manquait pas une.

— Écoute-moi bien jeune homme. Ce n'est pas de tes affaires ! Tout le périmètre est bouclé, y compris ce parterre. Ce qui signifie que tu es actuellement en infraction. Donc, je te donne le choix. Ou vous fichez le camp d'ici, tout de suite, toi et ta petite amie, ou j'appelle vos parents et je leur dis que vous vous amusez à traîner autour des scènes de crime. C'est à vous de décider, le menaça l'agent bourru.

— Hunter ! Je crois qu'on devrait y aller, sinon on risque de compromettre notre enquête, chuchota Chloé qui avait retenu son souffle tout le long de l'échange entre le policier et son ami.

— Bon, ça va... je te suis, fit ce dernier en lâchant du regard l'implacable gendarme.

— Allez ouste ! Filez avant que je vous coffre ! ordonna le policier en faisant de grands signes.

— Bien... m'sieur. On s'en va, balbutia Chloé en tirant Hunter par le bras.

Décidément... Il est vraiment antipathique ce policier, pensa-t-elle.

Un peu plus loin...

— Grrr ! Ce type m'énerve. On jurerait qu'il prend plaisir à me chasser, comme s'il m'avait pris en aversion, grommela Hunter. Il n'aime pas les jeunes ou quoi ! On ne faisait rien de mal...

— Laisse tomber Hunter... Il ne fait que son travail. Et puis, tu devrais faire attention ! À trop vouloir en faire, tu risques de compromettre nos plans. Tu sembles oublier que notre enquête doit rester secrète et que moins on fait de vagues et mieux ce sera pour nous si on veut élucider l'énigme du tueur au foulard, termina Chloé sur un ton convaincant.

— Ouais… t'as raison, admit Hunter. Ce criminel sans vergogne ne se doute sûrement pas que deux adolescents sont sur ses traces. Il est bien trop occupé à surveiller les allées et venues de la police. Ce qui nous donne un net avantage !

Revenus au parc, Hunter sortit sa loupe pour examiner de plus près la pièce à conviction retrouvée dans le parterre, près du musée.

— Hum… Il n'y a pas de doute. C'est bien notre suspect qui est responsable du saccage au musée des civilisations, conclut Hunter.

— Qu'est-ce qui te fait dire ça ? demanda Chloé.

— Regarde par toi-même, fit Hunter en montrant le bouton de manchette. Ce dessin est le même que celui qui figurait sur la pièce d'argent retrouvée sur les lieux du premier crime.

— Eh bien ! S'il fallait que les enquêteurs apprennent que nous détenons cette importante pièce à conviction, ils ne seraient pas très contents, grimaça Chloé.

— On n'en a rien à cirer ! Nous menons notre propre enquête. Comprends-moi bien Chloé, tu ne dois jamais parler de cela à qui que ce soit. C'est une question de vie ou de mort. Plus le temps passe et plus le tueur au foulard fera des victimes ! Il est urgent d'agir. Comme les forces de l'ordre semblent incapables de le coincer, je me dis que nous devons être plus rusés que lui afin de le pousser à se compromettre.

— Tu as raison ! Quand je repense à ce pauvre monsieur Rosenberg, reprit Chloé. Je trouve ça tellement injuste…

— C'est pour cela qu'on doit agir, et vite ! On reviendra ce soir. L'endroit sera plus tranquille. Ça te va, disons vers les dix heures ? demanda Hunter à sa nouvelle alliée tout en se dirigeant vers le support à vélo.

— Oui, oui… je trouverai bien le moyen de m'éclipser, répondit Chloé, évasive, en réfléchissant à la façon dont elle allait pouvoir quitter sa chambre sans éveiller les soupçons de ses parents.

Après quelques minutes à pédaler à bon régime, ils arrivèrent à une intersection. Hunter bifurqua à gauche en direction de sa maison et cria à Chloé en s'éloignant :

— On se voit plus tard ! J'ai des trucs à faire dans mon labo. Et, n'oublie pas... on se retrouve ce soir à dix heures pile ! Je t'attendrai dans le parc en face de chez toi.

— Dac ! À plus tard, s'écria Chloé.

Alors qu'elle faisait route vers sa maison, Chloé se dit que, finalement, la vie était bien plus trépidante lorsqu'elle était en compagnie de Hunter. Maintenant, il ne lui restait plus qu'à trouver comment s'y prendre pour s'absenter sans que ses parents s'en rendent compte...

En mettant pied à terre devant sa maison, Hunter se dit dans son for intérieur qu'après tout, Chloé n'était pas si mal. Puis, il remarqua avec étonnement que l'automobile de sa mère était garée dans l'entrée, ce qui était pour le moins étrange étant donné qu'à cette heure de la journée elle aurait dû être au boulot.

— M'man ! Tu es là ? appela Hunter tout en accrochant son imper et son chapeau sur la patère. Mamaaaaan ! C'est moi !

N'obtenant aucune réponse, Hunter parcourut la maison de fond en comble. Finalement, il trouva sa mère qui sanglotait, assise sur le bord de son lit, le visage ruisselant de larmes, une photo de son défunt mari à la main.

— M'man… Ça va ? demanda Hunter avec délicatesse.

— Oui, oui… Ça va ! C'est ton père… Il me manque tellement, lui répondit-elle tout en essuyant discrètement ses joues avec un mouchoir.

Hunter le cœur brisé, serra sa mère contre lui.

— M'man… Je suis là, moi ! Tu n'es pas seule.

— Je le sais, mon grand. Tu es gentil. Mais… tu vois, lorsque l'on passe une grande partie de sa vie avec un homme qui a été son complice, eh bien, ça ne s'oublie pas du jour au lendemain. Ton père, malgré son tempérament introverti, était un

mari attentionné. Mais ne t'inquiète pas, Hunter...
Va et ne t'en fais surtout pas pour moi. Ça va déjà
mieux, termina-t-elle avec un léger sourire.

— M'man... est-ce que papa te disait tout ?

— Que veux-tu dire au juste Hunter ?

— Eh bien... est-ce qu'il t'a déjà parlé d'un
passe-temps ou d'un emploi autre que celui qu'il
exerçait ?

— Non ! Quelle question bizarre ! Ton père et
moi n'avions aucun secret l'un pour l'autre. Je le
connaissais mieux que personne ! Il ne m'aurait
jamais caché quelque chose d'important, rétorqua Angela, étonnée des insinuations de son fils.
Mais... pourquoi me demandes-tu cela ?

— Pour rien... laisse tomber ! C'est moi qui
m'imaginais cela parce qu'il était toujours très
occupé, répondit Hunter en s'éclipsant au sous-sol
après lui avoir fait un câlin.

Hum… de toute évidence, elle n'était au courant de rien au sujet de sa double vie, se dit Hunter en dévalant deux par deux les marches, pour se réfugier ensuite dans son petit laboratoire secret en attendant son rendez-vous nocturne...

Une découverte inespérée

Après avoir regardé la télévision en compagnie de sa mère, Hunter s'esquiva, feignant la fatigue.

— Bonne nuit m'man ! dit-il en refermant la porte de sa chambre.

— Bonne nuit Hunter ! répondit Angela qui se dirigea vers sa chambre, un livre à la main.

Hunter qui connaissait très bien les habitudes de sa mère se dit qu'il n'aurait pas à attendre très longtemps avant de pouvoir s'éclipser étant donné qu'elle s'endormait presque immédiatement une fois la tête posée sur l'oreiller.

Lorsqu'il fut assuré que sa mère s'était assoupie, il mit son costume de détective et s'éclipsa en douce par la fenêtre de sa chambre, située au rez-de-chaussée. Il courut rejoindre Chloé au parc, en face de sa demeure.

— Misère ! Tu en as mis du temps, fit Chloé en voyant arriver Hunter vêtu de son accoutrement de détective.

— Et toi, tu n'as pas eu trop de problèmes à t'esquiver ? lui demanda Hunter.

— Non, non. J'ai simplement prétexté un mal de ventre et, comme mes parents se couchent habituellement très tôt, j'ai pu m'éloigner de la maison sans éveiller leurs soupçons.

Chloé détailla son ami tout en mâchant sa gomme.

— Dis Hunter, es-tu vraiment obligé de porter cet accoutrement chaque fois que tu sors pour enquêter ? demanda-t-elle en faisant éclater une grosse bulle rose.

— Et toi ! Es-tu toujours obligée d'avoir ton exécrable gomme à mâcher dans la bouche ? répliqua Hunter du tac au tac avec un brin de frustration dans la voix.

Devant une Chloé stupéfaite, il reprit son calme.

— Excuse-moi ! Je me suis un peu emporté. Pour répondre à ta question, ce manteau et ce chapeau appartenaient à mon père. Ils me protègent et m'inspirent. De plus, ce n'est pas qu'un simple imperméable. J'ai toute ma panoplie en cas de besoin, ajouta le jeune détective en ouvrant son imper lui dévoilant ainsi une foule de gadgets accrochés au revers de ce dernier.

— Wow ! Mais… où as-tu eu cet attirail ? On dirait l'imperméable d'un agent secret ! s'exclama Chloé impressionnée.

— J'ai acquis ces objets un à un depuis la mort de mon père. Parfois dans les petites annonces et parfois dans des boutiques spécialisées comme celle qu'il y a derrière chez moi.

— Eh bien ! Je l'avoue ! Tu m'impressionnes...
Bon ! On y va à ce fameux musée avant que mes
parents se rendent compte de ma disparition ?
suggéra Chloé.

— Tu n'aurais pas oublié quelque chose
par hasard ? lui demanda Hunter avec un regard
accusateur.

— Heuu... non, je ne crois pas, répondit Chloé,
comme si de rien n'était.

Hunter lui présenta sa main dans laquelle il
avait préalablement posé un mouchoir en papier
et ordonna :

— Donne !

Chloé comprit immédiatement à quoi son ami
faisait allusion. L'air résignée, elle retira de sa
bouche sa chique de gomme qu'elle déposa sur la
main de son compagnon.

— C'est parti ! fit Hunter en enfourchant son
vélo et après avoir expédié d'un tir précis l'objet
indésirable dans la poubelle.

Une fois à proximité des lieux, nos deux oiseaux de nuit s'arrêtèrent et se cachèrent avec leur vélo derrière un gros conifère qui ornait le terrain de la maison funéraire. Bien à l'abri, ils purent observer les allées et venues autour du musée.

— Tu ne trouves pas cela étrange. Il n'y a personne dans les environs, remarqua Chloé incrédule.

— C'est ce qu'ils veulent nous faire croire, laissa tomber Hunter sur ses gardes. Ils ont sans doute placé des observateurs à distance ou des caméras afin de surveiller la circulation autour du musée.

— Mais... c'est une perte de temps. Ceux qui ont saccagé le musée ne reviendront certainement pas après ce qu'ils ont fait. Mes parents m'ont dit qu'ils avaient mis tout sens dessus dessous... comme s'ils cherchaient quelque chose en particulier, remarqua Chloé.

— Ne t'inquiète pas Chloé. S'ils n'ont pas trouvé l'objet convoité, ils vont revenir, c'est certain ! Mais je peux te garantir que nous, nous le trouverons avant eux ! lança Hunter, confiant. Suis-moi ! On va passer par l'arrière du musée.

Arrivés près du bâtiment, Hunter et Chloé s'approchèrent à pas de loup pour se cacher ensuite derrière un bouquet d'arbustes. Lorsqu'il fut assuré qu'il n'y avait personne en vue, Hunter, suivi de près par sa complice, sortit sa lampe de poche et se mit à avancer discrètement vers la porte arrière de l'édifice.

— Chloé… tu n'es vraiment pas obligée d'être si près de moi tout le temps, maugréa Hunter qui trouvait que sa nouvelle complice entrait un peu trop dans « sa bulle » par moment. On dirait un vrai chien de poche ! C'est fatigant à la fin !

Chloé, qui se sentait de plus en plus à l'aise avec Hunter, n'avait nullement l'intention de reculer d'un pas. Elle continua de le suivre comme si de rien n'était.

Devant la porte, Chloé se mit sur la pointe des pieds pour voir par-dessus l'épaule d'Hunter :

— Wow ! Génial. Deux serrures à forcer et aucune fenêtre en vue. Veux-tu bien me dire comment nous allons entrer là-dedans ? En plus, il doit sûrement y avoir un système d'alarme. À moins que tu n'aies un plan magistral, on n'ira pas plus loin, bougonna Chloé, quelque peu découragée.

— C'est dans ta nature d'être aussi défaitiste, lui demanda Hunter tout en examinant les lieux. Tu vois, quand on est un bon enquêteur, on remarque chaque détail, poursuivit-il. Regarde, là-bas, il y a une voiture stationnée près de l'édifice. Cela signifie qu'il y a un gardien qui surveille les lieux. Donc, il n'y a certainement pas de système d'alarme en fonction.

— Bonne déduction, Sherlock, reconnut Chloé sur un ton sarcastique. Maintenant, admettons que tu aies raison… Comment fait-on pour entrer ?

— Premièrement, nous devons nous mettre à l'abri des regards indiscrets, conseilla Hunter en jetant un coup d'œil vers la voiture garée dans le stationnement arrière.

— Hunter... si, comme tu le prétends, c'est l'automobile du veilleur de nuit, alors nous devons être très prudents.

— Ne sois pas si inquiète ! Je sais très bien quoi faire, répondit le jeune détective sûr de lui. Tout d'abord, je dois m'occuper du plafonnier qui éclaire un peu trop la porte à mon goût.

Surprise, Chloé vit son ami sortir de son imper un vulgaire ballon gonflable, comme ceux utilisés pour les fêtes d'enfants et un pot contenant une substance noire qu'il ouvrit. Il versa le liquide épais dans le ballon puis le noua.

Ensuite, Hunter s'approcha du porche. Lorsqu'il fut à bonne distance, il lança de toutes ses forces le ballon sur le luminaire. Sous l'impact, le ballon éclata et laissa s'échapper l'épais liquide noir qui recouvrit immédiatement la lumière, plongeant ainsi la cour arrière du musée dans l'obscurité.

— Tu es génial Hunter ! s'exclama Chloé lorsqu'elle eut rejoint son complice sous le porche. Tu m'impressionnes vraiment.

— Attends, tu n'as encore rien vu, répondit celui-ci en lui tendant une petite lampe de poche miniature. Tiens-moi ça et éclaire la poignée de la porte.

Sous le regard admiratif de Chloé, Hunter sortit de sa poche un petit tube métallique à bec allongé rempli d'une substance mystérieuse qu'il injecta dans le trou de la serrure.

Après quelques secondes, il recommença l'exercice avec la deuxième serrure. Surprise, Chloé vit alors une petite fumée noirâtre s'échapper des deux ouvertures, puis un liquide bouillonnant s'en écoula, brûlant au passage la peinture de la porte.

Devant son air ahuri, Hunter précisa :

— C'est une substance corrosive que j'ai concoctée moi-même dans mon labo et qui devient active lorsqu'elle entre en contact avec l'air.

Sans plus d'explications, le jeune limier sortit de l'une de ses nombreuses poches un tournevis plat qu'il enfonça dans le trou de la serrure pour ensuite le tourner d'un geste sec. Aussitôt, un déclic retentit. Il recommença le même manège avec la deuxième serrure, puis la porte s'ouvrit comme par magie sous le regard ébahi de Chloé, admirative devant les talents insoupçonnés de son compagnon.

— Wow ! Vraiment fort ! Mais... co... comment as-tu fait ça ?

— Je t'expliquerai plus tard ! On n'a pas une minute à perdre. Suis-moi ! On doit entrer là-dedans et fouiller ce musée sans se faire remarquer par le gardien.

— Je te suis, répondit Chloé en éclairant le plancher devant Hunter à l'aide de sa petite lampe de poche.

À l'intérieur, Hunter et Chloé eurent de la difficulté à avancer dans le désordre qu'avaient laissé les malfaiteurs. Il y avait des débris partout et la pénombre qui les entourait n'aidait en rien leurs déplacements. Éclairés faiblement par la lampe de poche dont les piles étaient sur le point de rendre l'âme, nos deux intrus craignaient à tout moment de trébucher.

Chloé, qui suivait Hunter à la trace, n'appréciait guère le fait de se retrouver dans ce lieu qui, sans éclairage, prenait une allure beaucoup plus sinistre qu'en plein jour. Après quelques minutes à errer dans le musée…

« Sling…chésling... sling… chésling… »

— Hunter ! C'est quoi ce bruit, émit Chloé d'une voix chevrotante.

— Chutt ! C'est le gardien ! Il vient par ici, grinça Hunter en prenant Chloé par le bras et en l'entraînant avec lui derrière une grosse statue égyptienne.

« Sling… chésling... sling… chésling… »

Alors que le bruit de clés et le rayon lumineux de la lampe de poche du gardien s'éloignaient enfin vers ce qui semblait être son bureau, Hunter lâcha :

— Chloé ! Voilà notre chance de trouver ce que le, ou les, cambrioleurs cherchaient. Selon moi, le gardien ne reviendra pas avant un bon moment. C'est maintenant ou jamais. On doit fouiller partout et trouver quelque chose qui s'apparenterait de près ou de loin à la confrérie des Seigneurs de Méliakin. Y'a sûrement un objet ici qui arbore l'effigie de cette fraternité.

Ne sachant trop par où commencer, Chloé rétorqua :

— Autant chercher une aiguille dans une botte de foin.

— OK ! Voici ce que je suggère, reprit Hunter devant l'air découragé de sa complice. Commençons par fouiller tout ce qui peut ressembler de près ou de loin à un coffre ou un cercueil ou même un tombeau. Ainsi, on aura couvert une bonne partie du musée. Il ne restera plus qu'à chercher dans les habits des personnages. Qui sait... l'indice y est peut-être dissimulé.

Après plus de quarante-cinq minutes de fouilles infructueuses, nos deux complices, découragés, s'étaient résignés à repartir bredouilles, lorsque soudain Hunter remarqua sur une estrade un sarcophage égyptien recouvert d'un drap et entouré de trois gros contenants métalliques remplis de pinceaux et de pots de peinture.

— Attends ! lui dit Hunter en s'immobilisant brusquement.

— Quoi ! dit Chloé, impatiente de quitter les lieux.

Voyant son ami se diriger vers le cercueil elle lui demanda :

— Que fais-tu Hunter ? Ce n'est qu'un vieux sarcophage qu'ils restaurent. C'est sans importance.

— Attends ! insista Hunter, fortement attiré vers le mystérieux objet.

Une fois qu'il eut gravi les trois marches le séparant de l'estrade, Hunter s'approcha du sarcophage, talonné par Chloé. Avec courage, il retira le drap et repoussa le couvercle. Stupéfait, il découvrit une authentique momie égyptienne.

— Heurk ! C'est *dégueu* ! fit Chloé d'un air dégoûté tout en réprimant un haut-le-cœur. Je te dis que c'est sans importance. Viens ! Tirons-nous d'ici avant que le gardien rapplique.

Puis, voyant que Hunter approchait ses mains de la momie, elle s'écria :

— NE TOUCHE PAS À.... !

D'un geste vif, Hunter lui mit la main sur la bouche avec l'intention de lui clouer le bec.

— T'as perdu la tête ou quoi ? Tu veux nous faire repérer ! Au lieu de paniquer et de dire n'importe quoi, rends-toi utile et éclaire-moi avec la lampe de poche, lui chuchota dans l'oreille le jeune détective.

— Excuse-moi Hunter, mais j'ai horreur des morts. J'ai seulement voulu te protéger. Il paraît que ça porte la poisse de profaner le cercueil d'un macchabée. En plus, tu peux attraper des maladies. Beurk ! Rien que d'y penser j'en ai la nausée.

— Chloé ! Arrête avec tes superstitions ! J'en ai assez entendu ! décréta Hunter en replaçant ses lunettes. Maintenant, tu veux bien être gentille et m'éclairer. Je dois vérifier quelque chose.

Chloé lui fit signe de la tête en guise d'acquiescement.

Intrigué, mais confiant, Hunter s'approcha lentement du cercueil et de son occupant, persuadé d'y trouver quelque chose d'intéressant.

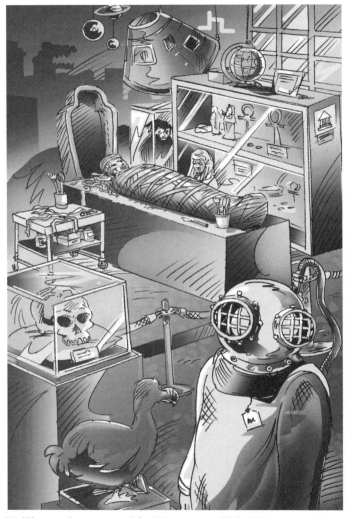

Utilise ta loupe et aide Hunter et Chloé à trouver leur
deuxième indice

Désireux de percer le mystère, Hunter sortit de l'une de ses poches secrètes, une paire de gants de chirurgien qu'il enfila prestement. Puis, il prit des pinces à long bec fin, faites d'un métal brillant. À l'aide de celles-ci, il se mit à dérouler lentement le bandage de la momie en commençant par la tête. Après quelques secondes, il s'arrêta brusquement en voyant, sous la troisième couche de bandelette, un trou du côté gauche de la tête.

— Tiens... Tiens... Tiens. Comme c'est étrange... Les autres bandelettes n'étaient pas perforées, murmura Hunter tout en continuant de dérouler le bandage le plus rapidement possible.

Lorsqu'il eut enlevé la dernière bandelette, il découvrit sur le crâne de la momie un petit trou au-dessus de la mâchoire supérieure.

— Hunter, tu perds ton temps ! Tu vois bien que ce n'est qu'une vulgaire momie remplie de trous. Ce vieux truc ne cache aucun secret...

— Mais oui ! C'est ça ! L'indice pourrait être dissimulé à l'intérieur de la momie. Tu es géniale Chloé ! Bien pensé ! marmotta Hunter en continuant son inspection.

Alors que sa complice le regarda hébétée, ne comprenant strictement rien à ses propos, Hunter désireux de découvrir ce qui se trouvait à l'intérieur du crâne de la momie, s'empara de nouvelles pinces qu'il avait dans son imper et força la mâchoire.

« Crak ! »

— Hunter ! Tu vas nous faire repérer ! s'énerva Chloé qui craignait de voir le gardien surgir à tout moment.

Son complice, déterminé, n'en fit qu'à sa tête et continua de forcer l'ouverture de la mâchoire. Sa persévérance fut récompensée, car après moult efforts, il aperçut un petit bout de papier dans la cavité frontale de la momie.

— Regarde Chloé ! Il y a quelque chose juste là sous les bandelettes. Éclaire-moi ça !

Chloé n'en crut pas ses yeux lorsqu'elle vit Hunter sortir délicatement à l'aide de ses pinces spéciales, un petit USYPRPA de sept à huit centimètres de large.

À l'instant où Hunter sortait le précieux indice de sa cachette, une voix caverneuse retentit, les figeant sur place.

— QUI VA LÀ ?

Aveuglés par la grosse lampe torche du gardien, Hunter et Chloé n'osaient bouger. Ce n'est qu'en voyant l'homme au lourd trousseau de clés se diriger vers eux en courant que leur instinct de survie refit surface.

Apeurés, les deux suspects détalèrent à toute vitesse en direction de la porte arrière du musée, échappant de justesse au gardien furibond :

— Je vous ai vus, petits chenapans ! Je vais appeler la police et vos parents. C'est la prison qui vous attend ! Revenez immédiatement ! aboya-t-il.

Mais nos deux noctambules continuèrent leur course folle jusqu'à ce qu'ils atteignent l'endroit où ils avaient laissé leurs vélos. À bout de souffle, ils enfourchèrent leurs bicyclettes et pédalèrent sans se retourner, hors de portée du gardien.

Les belles d'Autrefois

Ce n'est qu'une fois arrivés devant la maison de Hunter, qu'ils purent enfin reprendre leur souffle.

Chloé, rendue fébrile par cette course endiablée, fouilla nerveusement dans la poche de son pantalon. Elle prit une grosse boule de gomme rouge qu'elle enfouit prestement dans sa bouche.

— Hunter ! Tu… crois… qu'il nous… a vus ? bredouilla Chloé entre deux mastications.

— Aucun doute là-dessus ! Il nous a bien vus, mais de là à dire qu'il peut nous identifier, ça, je ne le crois pas ! Il faisait beaucoup trop sombre. Il a dit cela seulement pour nous faire peur et pour que nous nous arrêtions afin de nous épingler. Mais, c'est bien mal me connaître, répondit Hunter en retirant son chapeau et son imper. Chloé… cesse un peu de mâchouiller cette gomme. On jurerait que c'est une question de vie ou de mort ! Tu m'énerves à la fin.

— Tu veux bien me donner deux minutes de répit, implora Chloé. Juste le temps que mon taux d'adrénaline redescende.

— Bon, OK. Deux minutes, mais pas une de plus, concéda Hunter avec résignation.

Heureuse d'avoir gagné sur ce point, Chloé lui demanda :

— Et le papyrus ? As-tu eu le temps de le mettre en sûreté ?

— Le voilà ! répondit Hunter en sortant de sa poche le précieux bout de papier. Viens et ne fais pas de bruit. Nous allons l'examiner dans mon labo.

Les deux noctambules descendirent au sous-sol sur la pointe des pieds. Une fois en bas, ils se réfugièrent dans le repaire secret de Hunter où ils purent examiner à loisir le précieux indice trouvé dans le crâne de la momie.

— Oh, tu as vu ! C'est pas croyable ! fit Hunter en déroulant lentement le mystérieux papyrus. Regarde Chloé ! Dans le coin gauche, il y a le même symbole que sur la pièce de monnaie et le bouton de manchette.

— Tu as vu tous ces tracés, on dirait une carte ! remarqua Chloé tout en indiquant du bout des doigts certaines lignes sur le papier jauni. Et regarde là ! dit-elle en pointant un dessin. C'est le symbole des Seigneurs de Méliakin.

— Tu as raison. Je crois que nous venons de mettre la main sur ce que le voleur cherchait au musée. Selon mes déductions, cela me paraît être un plan ou une carte indiquant l'emplacement d'un trésor, mais... attends un peu. Il manque la dernière partie, fit Hunter déconcerté. Zut ! C'est sans doute la partie la plus importante du puzzle.

— Ceux qui l'ont mis là savaient ce qu'ils faisaient. J'ai déjà lu un livre dans lequel on avait utilisé le même stratagème afin de créer une double sécurité, reprit Chloé, l'esprit encore très vif malgré l'heure tardive.

— Bien vu, partenaire ! Dans ce cas, on doit trouver les autres indices, mais pour le moment, je crois que nous ferions mieux d'aller dormir. On examinera cette carte plus en détail demain. Viens, je vais te reconduire chez toi. Il se fait tard et les rues ne sont pas sûres à cette heure, proposa Hunter.

— Merci, c'est gentil ! J'apprécie, fit Chloé rassurée par l'offre de son compagnon.

Sur le chemin du retour, Hunter se remémora la journée qu'il venait de vivre en compagnie de Chloé, son originale complice...

Hum... Finalement, cette fille est très allumée et vive d'esprit. À part sa fâcheuse manie de mâcher bruyamment de la gomme, je crois que je l'aime bien !

***

Le lendemain matin après une courte nuit…

« Driiiing, driiing ! »

— Ça va ! J'arrive, marmonna Hunter encore somnolent en décrochant le téléphone.

— Hunter ! Habille-toi ! J'arrive tout de suite. J'ai quelque chose d'important à te montrer ! s'exclama Chloé d'une voix où transpirait une grande nervosité.

— OK, je t'attends à la cuisine. La porte d'entrée sera déverrouillée, lui répondit Hunter en raccrochant le combiné.

En se demandant ce que Chloé avait de si urgent à lui montrer, il s'habilla en vitesse et se rendit à la cuisine pour préparer son petit déjeuner.

Quinze minutes plus tard, Chloé arriva en coup de vent, un journal à la main. La jeune fille arborait un teint blafard.

— Qu'est-ce qui se passe ? On jurerait que tu as vu un fantôme, s'inquiéta Hunter en voyant son amie aussi pâle.

Pour toute réponse, Chloé lui tendit le journal du matin d'une main tremblotante.

En voyant la première page du quotidien, Hunter laissa tomber sa tranche de pain et se jeta sur l'article qui relatait un nouveau cambriolage au musée. À la suite, il y avait une lettre ouverte publiée par le tueur au foulard renfermant une mise en garde.

Missive adressée aux frères de l'ordre des Seigneurs de Méliakin ou toute personne ayant un lien avec cette affaire : Je somme quiconque serait en possession de la clé du coffre aux reliques, de me la remettre afin que me soit rendu le trésor de Méliakin dont je me réclame seul et unique héritier. Faute de quoi, un autre membre de la confrérie subira bientôt le même sort que mes précédentes victimes...

— Ça alors ! Il ne rigole pas, fit Hunter, contrarié, en déposant le journal.

— Hunter ! Tu sais ce que ça veut dire ? Notre visite d'hier soir au musée n'est peut-être pas passée inaperçue… Nous risquons d'être responsables de la mort d'un autre membre de cette confrérie ! se reprocha Chloé en tremblant à l'idée de cette sombre perspective.

— Calme-toi, Chloé ! Premièrement, il n'y a rien qui indique dans cet article que c'est de nous dont il est question. Il s'est peut-être produit un autre événement cette nuit. Quant au tueur au foulard, il a sûrement donné l'ordre de faire paraître sa missive hier alors que nous n'avions pas encore commis notre larcin au musée. On ne fait mention là-dedans que d'un nouveau cambriolage, lui précise-t-il en pointant le journal. Deuxièmement, pour quelle raison le tueur s'en prendrait-il à un autre Seigneur de Méliakin ? Certes, il apprendra ce matin qu'il y a eu un second cambriolage et croira que les malfaiteurs sont en possession d'une clé, mais je crois que tout cela relève du domaine des suppositions. Tu t'inquiètes pour rien, Chloé !

— Tu vois, moi je me fais une tout autre idée de la situation. Il était peut-être sur les lieux, il nous a vus partir et il peut en avoir déduit que nous avons trouvé la clé. Qui sait ? Il peut même nous avoir suivis jusqu'ici pour tenter de la récupérer. Tu sais, avec la technologie d'aujourd'hui les heures de tombée pour faire paraître un article sont tard dans la nuit. Alors en publiant cette lettre, il nous lance un message. Il veut que nous croyions qu'il nous donne une dernière chance de la lui rendre avant qu'il ne passe à l'acte.

Les paroles de Chloé semblaient avoir un certain sens, mais Hunter, malgré la panique qui s'emparait de sa complice, demeura stoïque et lui répondit d'une voix rassurante :

— Écoute Chloé, je crois que le tueur au foulard bluffe tout simplement. Il ignore toujours l'identité de celui qui est sur ses traces. Il tente seulement de faire progresser les choses en sa faveur. C'est évident qu'il est désespéré ! Par contre, ce trésor qu'il convoite doit être vachement important pour qu'il soit prêt à tuer à nouveau. Mais ne t'inquiète pas, les policiers sachant cela fourniront une plus grande protection aux membres toujours vivants de cette confrérie.

— C'est à espérer... Je ne voudrais pas avoir une mort sur la conscience et, pire encore, être la prochaine cible d'un tueur en série, termina Chloé pas très rassurée.

Hunter, désireux de ne pas s'engager dans la paranoïa de son amie, demeura muet, tout en affichant un petit air songeur.

Il entreprit de terminer son petit déjeuner en silence et ce n'est que quelques bouchées plus tard qu'il se décida à faire part de ses réflexions à son amie.

— Chloé ! Sachant ce que nous savons, nous devons examiner de plus près le papyrus que nous avons trouvé hier soir au musée, car nous devons découvrir où se cache cette fameuse clé. Seul le papyrus pourra nous y conduire.

Arrivés dans le laboratoire secret, Hunter et Chloé commencèrent à examiner minutieusement la carte à l'aide de la lampe-loupe.

— Hé, Chloé ! Regarde ! Ce ne serait pas le musée *Les Belles d'autrefois* par hasard ? remarqua Hunter en repoussant ses grosses lunettes tout en pointant un des lieux dessinés grossièrement sur le papyrus.

— Attends ! Laisse-moi voir ça de plus près. Oui, il n'y a pas de doute là-dessus. C'est bel et bien, le musée des voitures anciennes, lui confirma-t-elle. Mais... quel rapport avec tout ça ?

— Tu sais Chloé... tous les trésors ne sont pas cachés sur une île déserte, remarqua Hunter avant de se replonger dans son examen minutieux de la carte.

Quelques secondes plus tard...

— Là ? Tu vois ! C'est quoi ces petites croix et ces monuments bizarres ? demanda Hunter. On dirait une sorte de symbole indiquant un cimetière ?

— Je sais ce que c'est ! s'exclama Chloé. C'est l'ancien cimetière Highgate. C'est un endroit où je n'aimerais pas mettre les pieds. Beaucoup de choses mystérieuses s'y sont passées. Il existe même une légende urbaine concernant le vampire de Highgate et, bien que les gens de l'endroit disent que c'est une invention, certains d'entre eux affirment l'avoir déjà aperçu. Il y a même eu une chasse au vampire en mille neuf cent soixante-dix qui a mal tourné. À l'époque, le cimetière a été saccagé...

— Hum... Mon petit doigt me dit que nous devrions fouiller ces deux endroits en premier, car les autres emplacements apparaissant sur la carte ne me disent rien. Je crois même qu'il s'agit de simples diversions. Qu'en penses-tu ? lui demanda Hunter.

— Je crois que tu as raison. Les autres endroits semblent avoir été disposés ici et là et si je me souviens bien du quartier, ils ne représentent aucun endroit connu. D'ailleurs, tu ne trouves pas cela étrange que cette carte soit dessinée d'une main malhabile et qu'elle ne représente que deux ou trois endroits fréquentés de notre quartier, comme les restos les plus populaires ?

— Observation judicieuse, partenaire ! Comme tu le dis, le reste n'est que poudre aux yeux afin de dérouter les voleurs qui auraient l'intention de s'en prendre au trésor après avoir mis la main sur la carte. Chloé ! Si tu es toujours partante, ce soir nous ferons un petit tour au musée *Les Belles d'autrefois*. Pour l'instant, je propose d'y aller en tant qu'éclaireurs. Une visite de jour nous aidera sûrement à repérer les pièges à éviter, suggéra Hunter.

— Bonne idée ! approuva Chloé.

Plus l'enquête progressait, plus la jeune fille prenait son rôle de partenaire au sérieux.

Finalement, se dit-elle, *je prends vraiment goût au métier d'enquêteur.*

***

Quinze minutes plus tard, Hunter et Chloé arrivèrent devant les portes du musée des voitures anciennes et laissèrent leurs bicyclettes dans le support métallique prévu à cet effet.

— Deux livres ! fit le portier du musée en tendant sa grande main vers le dynamique duo.

— Dites… à quelle heure le musée ferme-t-il ses portes ? demanda Hunter tout en fouillant dans ses poches afin de payer leur droit d'entrée.

— Quatre heures en semaine et six heures les week-ends, répondit le cerbère de façon machinale. Bonne visite !

— Merci m'sieur, répondirent ensemble les deux visiteurs en passant les tourniquets.

— Oh ! fit Hunter, le regard admiratif devant toutes ces belles voitures d'une époque révolue, admirablement conservées. Il y a bien longtemps que je ne suis pas venu ici.

Puis, après quelques pas…

— Wow ! Si je m'attendais à cela, s'écria le détective en herbe devant la carrosserie d'une rutilante Rolls-Royce qui luisait sous l'éclairage.

— Oh ! Regarde un peu cette Ford, Modèle T ! Tu sais qu'elle a été également connue sous le nom de Tin Lizzie. C'est la voiture qui fut considérée comme « la première automobile à prix abordable ». Celle-là même qui a permis à la classe moyenne américaine de voyager. On dit même que c'est elle qui a mis l'Amérique sur des roues. C'est ainsi que cette légendaire voiture est née.

— Ohhh ! Très impressionnant ! fit Hunter étonné de découvrir que Chloé avait des connaissances dans ce domaine.

Désireux d'épater la galerie à son tour, Hunter continua sur un ton de connaisseur :

— Tu sais Chloé, cette voiture pouvait aller jusqu'à 70 km/h maximum et son prix était de 850 $ en 1908.

— C'était déjà rapide pour l'époque…

— Quant à celle-ci, ajouta Hunter en pointant une vieille décapotable aux ailes pointues dont la peinture d'un rouge éclatant brillait sous les projecteurs, mon grand-père, qui était collectionneur, m'a fait faire un tour dans un modèle semblable.

— Non sans rire ! Tu en as de la chance…, soupira Chloé. Hunter… Si nous reprenions notre enquête ?

— Tu as raison, on n'est pas venu ici pour flâner, mais bien pour faire du repérage.

Nos deux visiteurs se mirent à arpenter les allées du musée en jetant ici et là un regard discret en direction des plafonds et des murs afin d'avoir une idée du système de sécurité. Ils remarquèrent qu'il y avait quatre caméras, une dans chaque coin. Ils se dirigèrent vers l'arrière du musée tout en faisant semblant de chercher les toilettes. Mais, les deux curieux furent vite repoussés vers l'avant du musée par un gardien chargé de surveiller les lieux.

— Je me demande s'il y a également un gardien qui surveille les lieux la nuit, chuchota Hunter.

— Le mieux serait de le lui demander, fit Chloé en se dirigeant d'un pas décidé vers le cerbère des lieux, sous le regard inquiet de son compagnon.

C'est pas vrai ! *Elle va tout gâcher*, pensa Hunter en voyant Chloé interpeller le gardien.

— Euh... Pardon m'sieur, demanda Chloé en s'approchant doucement de l'homme en uniforme qui la regarda du haut de ses deux mètres et quelques.

— Oui, que puis-je pour vous jeune fille ?

— Vous ne seriez pas par hasard le père de Nathan…, se risqua Chloé.

— Nathan Lebeau ? questionna le cerbère en la fixant avec curiosité.

— Oui ! C'est ça ! répondit Chloé soulagée.

— Non ! répondit sèchement le gardien en jetant un regard intrigué vers la jeune fille qui sembla déstabilisée par sa réponse. Je suis son oncle.

— Ha ! C'est ça ! soupira Chloé. Il me semblait aussi que je vous avais vu quelque part. Ce ne doit pas être de tout repos votre travail. Vous devez trouver cela ennuyeux de surveiller un musée. Sans compter les horaires de travail de jour et de nuit ? Où trouvez-vous le temps de vous reposer ?

— Mais le soir, comme tout le monde. Tu sais… Un musée de voitures anciennes, ce n'est pas une banque, révéla le gardien. La nuit, il n'y a aucun gardien. Un simple système de surveillance par caméras suffit amplement à protéger les lieux.

— Ah ! Heureusement pour vous, cela vous permet de passer plus de temps avec votre famille. Bon ! Eh bien ! Je dois rejoindre mon ami. Pouvez-vous saluer Nathan de ma part ? lui demanda Chloé en lui tendant la main, pressée d'en finir maintenant qu'elle avait obtenu le précieux renseignement.

— Si tu me donnais ton nom, ça aiderait peut-être, suggéra le surveillant.

Chloé, le cœur tambourinant, hésita une fraction de seconde puis répondit :

— Béatrice ! Mon nom c'est Béatrice ! Nathan me reconnaîtra tout de suite lorsque vous le lui direz.

Désireuse de sortir du musée le plus vite possible, elle s'éloigna sans se retourner.

— Bien. Je lui dirai, acquiesça le gardien qui ne lâchait pas la jeune visiteuse du regard jusqu'au moment où elle fut hors de portée de sa vue.

— Et puis ? questionna Hunter alors qu'ils roulaient à vélo en direction de leur quartier.

— Ouff ! Durant un instant, j'ai bien cru qu'il me demanderait la raison de toutes mes questions. Mais par chance, j'ai appris tout ce que je voulais savoir en feignant de connaître son neveu.

— Comme… ? fit Hunter, pendu à ses lèvres.

— Comme le fait qu'il n'y a pas de gardiens la nuit. J'ai cru comprendre également qu'il n'y avait qu'un système de surveillance par caméra qui doit être relié au système d'alarme.

— Tu es géniale, Chloé ! Pendant un instant, j'ai cru que tu allais faire échouer notre enquête. Mais bon, à ce que je vois tu as su tirer ton épingle du jeu, termina Hunter tout en descendant de son vélo.

Ce compliment fit monter le rouge aux joues de Chloé. Elle détourna la tête pour dissimuler à Hunter le trouble qu'elle avait ressenti.

Décidément… Je vais devoir maîtriser mes émotions lorsque je suis avec Hunter, si je ne veux pas bousiller notre amitié, se dit Chloé en rangeant son vélo près du sien.

— Donc, si je comprends bien, cela signifie qu'on a la voie libre pour notre deuxième escapade nocturne, exulta Hunter qui, trop absorbé par son enquête, n'avait pas remarqué le malaise de sa compagne.

Avec une étincelle dans le regard, il sortit son petit calepin et y griffonna quelques notes.

— Hunter… comment ferons-nous pour ne pas nous faire repérer par les caméras de surveillance ? reprit Chloé.

— Fais-moi confiance ! J'ai ce qu'il faut. Mais pour l'instant, je meurs de faim ! Ça te dirait d'aller manger une frite ? C'est moi qui paye.

— Bonne idée ! J'avoue que toutes ces émotions m'ont creusé l'appétit, approuva Chloé qui rayonnait depuis qu'elle avait trouvé en Hunter un ami et un fidèle complice…

Une nuit au musée

De retour à la maison de Hunter, Chloé récupéra son vélo et, avant de quitter son ami, ils décidèrent d'un lieu de rencontre pour leur deuxième mission nocturne.

Hunter passa l'après-midi à examiner en détail la carte au trésor. Il consulta également les bouquins de son père afin d'en savoir un peu plus au sujet des systèmes de caméras de surveillance. Concentré dans sa lecture, il sursauta lorsqu'il entendit la porte d'entrée claquer.

— C'est toi M'man ? cria Hunter.

— Oui Hunter. Tu peux monter s'il te plaît ? J'ai une surprise.

— Qu'y a-t-il ?

En arrivant dans la cuisine, Hunter vit sur le comptoir les mets chinois que sa mère avait achetés ainsi qu'un DVD qui provenait du club vidéo du coin. C'est alors qu'il se rappela la journée.

Ah non ! Comment ai-je pu oublier ? Nous sommes vendredi et tous les vendredis c'est la soirée cinéma mère-fils, pensa-t-il.

Depuis la mort de Terry, son père, sa mère et lui avaient conservé, en sa mémoire, le rituel du vendredi soir alors que son père rentrait tard à la maison. Ils se faisaient un bon souper suivi d'une séance de cinéma en attendant son retour.

— Hunter ! Tu te sens prêt pour notre soirée vidéo mère-fils ? demanda Angela de bonne humeur comme elle ne l'avait pas été depuis fort longtemps.

— Euh... Ouais... répondit Hunter qui ne voulait pas déplaire à sa mère si fragile depuis la mort de son compagnon.

Mais, en son for intérieur, Hunter bouillait d'impatience. Il n'avait qu'une envie : retrouver sa complice pour accomplir leur virée nocturne au musée des voitures anciennes. Pourtant, il se voyait mal refuser cette soirée à sa mère et il comprit que ses plans étaient compromis. Il y a si longtemps qu'il ne l'avait pas vue aussi heureuse depuis la mort de son paternel. Résigné, il répondit à sa mère :

— M'man... je dois appeler Chloé. Je reviens tout de suite.

Au grand plaisir d'Angela, une belle chimie s'était développée entre les deux adolescents.

— OK ! Je vais t'attendre. Salue Chloé de ma part ! Pendant ce temps, je mets la table et je pré-pare ce bon repas que je nous ai acheté. Mets-toi à l'aise pour la soirée, on a un bon film à regarder ! lui dit Angela rayonnante.

— Chloé ! chuchota Hunter lorsqu'il entendit la voix de son amie au bout du fil.

— Quoi ! Qu'est-ce que t'as à chuchoter comme ça ?

— Écoute… nos plans sont peut-être compromis pour ce soir, expliqua Hunter. C'est ma mère. Elle a prévu une soirée mère-fils et je me vois mal lui refuser ça avec tout ce qu'elle traverse ces temps-ci.

— Alors, Hunter… qu'est-ce qu'on fait ? Le temps presse. Le tueur court toujours et il a juré de tuer un autre Seigneur de Méliakin, lui rappela Chloé. Nous devons tenter quelque chose !

— Je sais ! Je sais ! bredouilla Hunter. Je vais faire tout ce que je peux pour écourter la soirée. À la première occasion, je m'esquive et je file chez toi, peu importe l'heure. Alors, reste vigilante. Si tu entends des bruits de petits cailloux à ta fenêtre, ce sera moi. Tu devras trouver un moyen de sortir et venir me rejoindre.

— OK pour moi ! lui dit Chloé. Hé ! Hunter…

— Quoi ?

— Amuse-toi bien avec ta mère. Elle a besoin de toi…, termina Chloé en raccrochant.

***

Alors que le film « L'île aux cent dragons » se déroulait à l'écran, Hunter vit sa mère retenir avec difficultés plusieurs bâillements.

— M'man… si tu veux aller te coucher, y'a pas de problèmes pour moi, la rassura-t-il, mine de rien.

— T'es gentil, mon grand. Je me sens un peu fatiguée. J'ai eu une rude journée au boulot. Je n'arrive même plus à garder les yeux ouverts. Tu ne m'en veux pas trop si je te fausse compagnie. Je sais que tu tiens beaucoup à cette soirée mère-fils, s'excusa Angela.

— Comme je te l'ai dit, y'a pas de problèmes. Je vais terminer le film et aller me coucher moi aussi, assura Hunter.

— Merci, lui dit sa mère en l'embrassant sur la joue. Avant de te coucher, assure-toi que les portes soient bien verrouillées.

— Oui m'man. C'est promis ! répondit Hunter soulagé devant la tournure que prenait la soirée. Dès que sa mère fut dans sa chambre, il baissa le son de la télé et se dirigea à pas feutrés dans la sienne où il enfila son accoutrement de détective en toute hâte. Il attendit une dizaine de minutes afin de s'assurer que sa mère dorme profondément, puis il s'éclipsa en douce.

À l'extérieur, il regarda sa montre...

— Onze heures ! Misère... j'espère que Chloé ne s'est pas endormie, marmonna-t-il en sautant sur son vélo pour se diriger ensuite à toute vapeur vers la rue où habitait sa complice.

Arrivé devant la maison de Chloé, Hunter fut déçu de ne pas voir de lumière dans sa chambre.

— Grrr ! C'est foutu... C'est sûr qu'elle dort à cette heure, songea-t-il en constatant la noirceur dans laquelle était plongée la demeure.

Après avoir caché son vélo sous un gros conifère, le jeune limier s'approcha de la maison à pas de loup. Alors qu'il s'apprêtait à lancer une petite pierre à la fenêtre de Chloé pour tenter de la réveiller, une voix monta derrière lui, le faisant sursauter.

— Ne te fatigue pas ! Je t'attendais.

— Chloé ? Misère, d'où sors-tu comme ça ? Tu m'as fait une de ces peurs, lui dit Hunter, une main sur la poitrine. Ne me refais plus jamais ça ! J'ai bien failli faire une crise cardiaque !

— On y va ? demanda Chloé, impatiente de passer à l'action.

— OK ! C'est parti pour notre deuxième mission nocturne ! acquiesça Hunter.

Après dix minutes de marche dans les rues à demi éclairées, nos deux espions en herbe arrivèrent près du musée. Comme pour la première fois, ils firent le tour du bâtiment, mais virent que la grande porte d'acier apparemment invulnérable n'avait aucune serrure.

— Zut ! Pas de chance. Il n'y a aucune serrure. Elle doit être fermée de l'intérieur avec un gros loquet, maugréa Hunter.

— Mais… comment va-t-on faire pour entrer là-dedans ? demanda Chloé, déconcertée par cet imprévu.

— Je n'ai pas d'autres choix que de forcer une des fenêtres, répondit Hunter en contournant le vieux bâtiment à la manière d'un espion aguerri.

Avec l'aide de sa lampe de poche, il découvrit un soupirail qui donnait sur la cave du musée où étaient entreposées des vieilleries.

— Chloé ! Tiens-moi ça, demanda-t-il, en lui tendant sa lampe torche, pendant qu'il sortait de son imper un petit pied-de-biche qu'il inséra dans la fente au bas de la fenêtre.

« Crak ! »

— Chut ! Fais moins de bruit Hunter, tu vas nous faire repérer, désapprouva Chloé en fronçant les sourcils.

— Je n'ai pas le choix ! Je dois forcer cette satanée fenêtre. C'est notre seule chance d'entrer là-dedans. Pendant que j'essaie de l'ouvrir, fais le guet, déclara Hunter tout en reportant son attention sur la fenêtre.

« Crak, binnng ! »

— Ça vient ou pas ? demanda Chloé, nerveuse. Parce qu'à ce train-là, tu vas ameuter tout le quartier en moins de deux...

— Ça y est ! Je l'ai eu, soupira Hunter, soulagé.

— Attention ! Un véhicule approche, dit Chloé en attirant Hunter avec elle sous les arbustes, non loin de là.

Au même moment, une voiture avec deux policiers passa devant eux en éclairant les entrées à l'aide d'un gros phare à main.

— Oufff ! Ils m'ont fichu une de ces trouilles, soupira Chloé, une fois le danger passé.

— Viens, Chloé ! On n'a plus une minute à perdre. On doit pénétrer là-dedans et vite. Il ne nous reste tout au plus que quatre heures pour trouver ce que nous cherchons. Après, il fera jour, souffla Hunter, impatient de passer à l'action.

Après avoir retiré la fenêtre du petit soupirail, ils pénétrèrent dans le sous-sol poussiéreux et passablement encombré du musée. Éclairés par leurs lampes torches, ils se mirent à arpenter les soubassements à la recherche d'une porte donnant accès au premier étage.

— Je déteste cet endroit, l'air y est carrément irrespirable. En plus, j'ai des toiles d'araignée plein les cheveux. Eurk ! Y'a sûrement des rats qui se cachent dans chaque recoin, attendant juste l'occasion de nous sauter dessus. Hunter ! Tu as senti cette odeur ? Ça pue et je suis allerg… Aaaaaatchoum ! … gique à la poussière, maugréa Chloé.

— Chloé ! Tu peux cesser de parler une seconde. Tu m'empêches de réfléchir et, s'il te plaît, essaie de ne pas faire trop de bruit, insista Hunter en repoussant une fois de plus ses lunettes qui avaient glissé sur le bout de son nez.

OK ! Quand ce n'est pas ma gomme à mâcher, c'est que je parle trop, pensa Chloé qui retenait tant bien que mal une énième envie d'éternuer.

— Par ici Hunter ! chuchota-t-elle au bout de quelques secondes en pointant sa lampe sur un petit escalier poussiéreux qui s'étirait vers le rez-de-chaussée.

— Nous devons être très prudents, prévint celui-ci une fois en haut de l'escalier.

La dernière marche atteinte, Hunter ouvrit délicatement la porte de manière à ce qu'il puisse voir l'endroit où ils étaient. Il repéra immédiatement quatre petites lumières rouges qui clignotaient au plafond dans chaque coin de la pièce.

— Dis, Hunter, t'as une idée de la manière dont on doit s'y prendre pour ne pas se faire repérer par les caméras ? demanda Chloé.

Sans prendre la peine de lui répondre, Hunter fouilla dans sa poche et en sortit un boîtier argenté. Sous le regard interrogateur de Chloé, il l'ouvrit et sortit un objet qui avait la forme d'une mini soucoupe volante.

— C'est quoi ce truc ? demanda Chloé qui n'avait jamais rien vu de pareil. On dirait que ça sort tout droit d'un film d'espionnage.

Ignorant la question de son amie, Hunter actionna l'engin bizarre. Un point vert lumineux se mit à clignoter puis la partie supérieure de l'objet se souleva et se mit à tournoyer jusqu'à ce qu'un curieux sifflement se fasse entendre.

— Mais… où diable as-tu eu ce truc, et à quoi ça sert ? demanda Chloé ébahie.

— Mon père avait fabriqué un prototype que j'ai modifié et amélioré. Ça sert à brouiller les images des caméras de surveillance ainsi que les ondes des détecteurs de mouvements. Une fois en position, nous aurons environ 15 minutes pour faire nos recherches avant qu'il ne change d'angle. Il fera alors une rotation sur lui-même et dirigera son faisceau lumineux vers la deuxième caméra. Il avait été programmé ainsi par mon père et je n'ai pas encore réussi à le mettre tout à fait au point.

Chloé, fascinée, avait écouté Hunter sans l'interrompre. Ce dernier, après avoir remis en place ses lunettes, regarda Chloé d'un air perplexe.

— Mais là, on a juste un léger problème... On est trop loin et, pour qu'il fonctionne, je dois le rapprocher jusqu'à ce qu'il soit à moins de deux mètres des caméras, soit directement au centre, à un point précis.

— Il me semblait aussi que c'était trop beau pour être vrai. Il devait forcément y avoir un hic ! murmura Chloé. Et tu vas faire comment ?

— Facile ! Je vais tout simplement le lancer, laissa tomber Hunter. Une fois en fonction, on pourra alors fouiller secteur par secteur sans s'inquiéter de déclencher le système d'alarme.

— Génial ! J'espère juste que tu es bon dans le lancer de précision, rétorqua Chloé, quelque peu sceptique.

— C'est ce qu'on va voir à l'instant même, fit Hunter confiant en lançant sans plus attendre son bidule.

« ZZZZZZZZZ »

— Tu crois que c'est suffisant, dit Chloé tout en analysant la distance où s'arrêta le machin truc de Hunter

— J'espère bien ! Mais, ne t'inquiète pas… J'ai tout prévu, ajouta-t-il en sortant de son imper deux masques de clown. Vite. ! Mets ça sur ta tête !

— Décidément, tu penses à tout ! reconnut Chloé en lui décochant un clin d'œil complice.

Le brouilleur d'images installé, ils commencèrent l'inspection des véhicules stationnés dans le premier secteur de recherche, en prenant soin de ne jamais se trouver dans le champ de vision des trois autres caméras. Au bout d'une quinzaine de minutes, ils s'apprêtaient à se diriger vers un autre secteur quand, soudain, Chloé, après avoir posé le pied sur son lacet de chaussure défait, trébucha et s'affala de tout son long.

— Chloé ! Ça va ? s'inquiéta Hunter en voyant sa compagne allongée sur le sol, devant l'un des véhicules. Rien de cass…

— Hunter ! Amène-toi, coupa Chloé d'une voix nerveuse.

— Qu'est-ce qui se passe ? demanda Hunter en s'approchant de son amie pour l'aider à se relever.

— Regarde ! fit Chloé en pointant l'enjoliveur à rayons fixé sur une des roues de la vieille voiture près de laquelle elle s'était affalée.

— Non ! C'est pas vrai ! Tu vois ce que je vois ? jubila Hunter avec un sourire de satisfaction.

Utilise ta loupe et aide Hunter et Chloé à trouver leur troisième indice

— Je sais ! J'ai vu. C'est une ÉLC entre les rayons de la roue ! s'exclama Chloé. On doit absolument la récupérer.

Hunter sortit de l'une des poches intérieures de son imper, une tige luisante télescopique munie d'un petit aimant à son extrémité. Tout doucement, avec agilité, il parvint à extirper l'objet de sa cachette. Dès qu'il l'eut en main, il l'examina à la lampe torche et vit sur celui-ci un autre symbole de la mystérieuse confrérie de Méliakin.

— Tu as vu ça Chloé. Je crois bien qu'on a trouvé ce que nous cherchions. Félicitations, chère collègue ! Grâce à toi nous avons mis la main sur l'une des pièces les plus importantes du puzzle, s'exclama Hunter.

— C'est le tueur au foulard qui serait furieux d'apprendre que nous avons trouvé la clé du coffre au trésor ! reprit Chloé avec un éclat de fierté dans le regard.

— Viens ! On doit filer d'ici. Il est bientôt deux heures du matin, dit Hunter en aidant son amie à se relever.

— Et ton brouilleur d'images on en fait quoi ?

— Facile ! lui dit Hunter. Le champ est libre, car il bloque en ce moment la caméra qui contrôle le secteur de l'escalier. Viens, suis-moi.

Une fois en sécurité dans l'escalier, Hunter sortit de sa poche un stylo qui ressemblait étrangement au bidule qu'utilisent la plupart des gens pour vérifier l'air dans les pneus de leur voiture, mais légèrement plus gros.

— C'est quoi ce truc ? demanda Chloé.

— Tu vas voir, c'est génial, lui répondit Hunter tout en appuyant sur le bouton situé à l'une de ses extrémités.

Aussitôt, une longue tige émergea du cylindre. Hunter dirigea le bout de la tige vers le brouilleur d'images. Immédiatement, cette dernière se colla sur le boîtier métallique et, en un tournemain, Hunter récupéra son bidule alors que la tige téles-copique rentrait dans son étui.

— Une autre invention de ton paternel, s'émer-veilla Chloé.

— Non ! Celle-là, c'est de moi, précisa Hunter avec un clin d'œil complice.

Le brouilleur d'images récupéré, nos deux espions repartirent par où ils étaient venus non sans avoir pris le temps de replacer la fenêtre du soupirail…

L'enquête se poursuit

Un peu plus tard cette nuit-là…

Hunter se retrouva au musée des voitures anciennes où, soucieux de ne pas laisser de traces de son passage, il chercha l'un de ses précieux gadgets qu'il avait abandonné sur place. Une fois qu'il l'eut récupéré, il essaya, mais en vain, de retrouver la sortie qui s'était évaporée comme par magie.

— Mais… que se passe-t-il ? Où est passée cette fichue porte ? C'est pourtant bien par ici que je suis entré !

C'était comme si les lieux s'étaient métamorphosés durant son absence. Soudain, une grande crainte envahit Hunter à l'idée de rester coincé là et de se faire prendre au petit matin par le gardien de sécurité. Pris de panique, il se mit à chercher une autre issue de secours, mais il avait beaucoup de mal à se repérer dans cet endroit infernal. Une forte sensation d'étouffement l'envahit tout à coup.

L'atmosphère, légère lors de sa première visite, était devenue lourde. Une odeur nauséabonde de pourriture lui monta au nez. Il se retourna et constata avec horreur que les voitures qu'il avait admirées lors de son escapade initiale avec Chloé, avaient soudain moins fière allure. Elles étaient vieilles, rouillées et tombaient en morceaux. Plus il les regardait et plus il sentait la peur l'envahir, à un point tel, qu'il se mit à suer à grosses gouttes. Il pressentit tout à coup un grave danger. Sans avertissement, les mystérieuses voitures se mirent soudain en marche et s'avancèrent comme si elles ne désiraient qu'une seule chose : l'écraser vivant.

Pris de panique, Hunter courait dans tous les sens. Il sentait son cœur battre si fort qu'il pouvait en percevoir chaque battement dans ses oreilles, alors qu'il tentait désespérément de se souvenir du chemin emprunté plus tôt pour entrer dans le musée.

À bout de souffle, il trouva finalement une porte qu'il s'empressa d'ouvrir. Sans réfléchir, il se réfugia de l'autre côté.

— Ouff ! Il était temps ! soupira le jeune détective, dans tous ses états.

Cette fois-ci, Hunter se retrouva dans un nouvel environnement à demi éclairé. Il reconnut alors le musée des civilisations qu'il avait visité quelques jours auparavant avec Chloé.

Alors qu'il arpentait les allées à la recherche d'une autre sortie, Hunter, convaincu d'avoir vu bouger derrière lui, s'immobilisa et se retourna brusquement.

Rien d'anormal ! C'est sûrement mon imagina-tion, songea-t-il en reprenant sa progression dans la pénombre, sous le regard de tous ces personnages anciens figés dans le temps.

« Crak ! hiiiiic ! »

— Hein ! C'est quoi ça ? s'écria Hunter en se retournant à nouveau.

Derrière lui, la momie qu'il avait vandalisée et dont le bandage pendait lamentablement s'avan-çait vers lui, menaçante, bras tendus, mâchoire pendante, en criant :

— Hunter Jones... Rends-moi ma clé ou tu mourraaaaaaas ! Hahahahahahha ! Tu mour-raaaaaas Jones ! hahahahhaha ! Ma cléééééé rend-la-moiaaaaaaaaaa !

Immédiatement, Hunter courut en direction d'une grande porte de bronze qu'il réussit à ouvrir au prix d'un effort surhumain et qu'il referma *in extremis*. La momie diabolique qui fondait sur lui avec un énorme gourdin se mit à frapper la porte qui résonna, tel un gong géant.

« Boummmmm, boummmm ! »

« Toc… Toc… Toc… »

— Hunter ! Tu es réveillé mon grand ? appela Angela en cognant à la porte de sa chambre.

— Hein ! Quoi ! fit Hunter en se redressant sur son lit, le front en sueur, la tête pivotant dans tous les sens.

— Hunter ! Je dois m'absenter pour aller voir mes amies Monique et Colette. Nous avons notre dîner mensuel des *Girls*. Je serai de retour au plus tard vers quinze heures. Ça va, mon grand ? demanda sa mère, soudain inquiète, en entrant dans la chambre.

Hunter prit quelques secondes avant de répondre, le temps de remettre ses idées en place.

Oufff ! Par chance, ce n'était qu'un affreux cauchemar…

— Euh… c'est correct m'man ! On se voit… plus tard. Passe une bonne journée, marmonna Hunter avant de se laisser retomber sur son oreiller, épuisé par sa nuit au musée.

« Bang ! »

Le claquement de la porte d'entrée causé par le départ d'Angela, fit sursauter Hunter qui, malgré ce réveil brutal, avait peine à garder les yeux ouverts. Alors qu'il s'apprêtait à retomber dans les bras de Morphée, la sonnette du rez-de-chaussée retentit.

« Ding dong, ding dooooooong ! »

— Ah non ! C'est quoi encore ! soupira Hunter en rouvrant les yeux.

« Ding dong, ding dooooooong… ! »

Hunter se leva et, tout en maugréant, enfila son pantalon et son chandail, puis se rendit à la porte avant. Il planta son œil dans le judas, mais ne vit personne.

— Hum… C'est plutôt étrange.

« Toc, toc, toc ! »

— Ouvre Hunter ! C'est moi, Chloé !

La voix sourde de son amie, qui frappait cette fois-ci à la porte arrière, résonna derrière lui.

— Ah ! Chloé, c'est toi ! Mais… que fais-tu ici, si tôt le matin ? lui demanda Hunter qui bâillait à s'en décrocher les mâchoires. Quoi de neuf ?

— Premièrement, il est dix heures du matin et il s'est passé des choses graves depuis hier. Toute la ville est en émoi, laissa tomber Chloé en lui tendant le journal.

Le tueur au foulard a de nouveau frappé ! La victime est un haut gradé de la police. Le sergent Milard a été retrouvé mort, un foulard argenté autour du cou. Une note a été trouvée sur le cadavre :

Dernier avertissement : rendez-moi la clé du coffre aux reliques ou tous les membres de la confrérie des Seigneurs de Méliakin y passeront. Cette fausse fraternité ne sera bientôt plus qu'un vague souvenir…

— Mais… c'est horrible ! Ce cinglé ne rigole pas, fit Hunter, estomaqué, après avoir lu la « une » du journal que tenait Chloé.

— Ça… Tu peux le dire ! reprit Chloé. Il est déterminé à aller jusqu'au bout. Hunter… Tu ne trouves pas ça bizarre que les membres de l'ordre préfèrent mourir plutôt que de lui rendre la clé du coffre aux reliques ?

— En effet, c'est très étrange. C'est pourquoi il n'y a pas de temps à perdre ! Nous devons trouver le dernier indice et ce fameux coffre qui contient le trésor des Seigneurs de Méliakin afin de piéger ce monstre ! Heureusement, nous avons une bonne longueur d'avance sur lui. Nous détenons de précieux indices qui pourraient le forcer à se compromettre.

— Tu as raison ! Le temps n'est plus au batifolage. Ça tombe comme des mouches depuis une semaine. On doit aider la police à résoudre cette sombre histoire, acquiesça Chloé, le visage rongé par l'inquiétude.

— Je mange un morceau et ensuite on file en direction de l'ancien cimetière Highgate, suggéra Hunter.

— Heu... il faut vraiment y aller ? Tu sais moi... ce cimetière... c'est un peu spécial comme endroit..., avança Chloé d'une petite voix hésitante.

— Écoute Chloé... si tu ne veux pas venir, libre à toi. Mais, tu l'as vu comme moi sur la carte, cet endroit est important, j'en suis sûr. Donc, vampire ou pas, moi j'y vais, décréta Hunter en engloutissant sa banane.

— Ouais, t'as raison ! Il faut y aller. J'espère juste qu'on n'aura pas de mauvaises surprises, marmonna Chloé.

Ils quittèrent aussitôt la maison. Hunter, vêtu de son habituel costume de détective se dirigea vers son vélo suivi par Chloé, toujours aussi colorée. Cette dernière, pour contrer sa nervosité, avait délaissé sa gomme, pour s'adonner à son nouveau passe-temps : se ronger les ongles...

Après quinze minutes de vélo à haut régime, ils arrivèrent devant l'ancien cimetière.

— Chloé ! Va par là, moi j'inspecterai de ce côté, proposa Hunter en commençant aussitôt un examen minutieux des pierres tombales.

Bien que l'idée de déambuler seule dans un cimetière n'enchantât guère Chloé, elle acquiesça :

— OK. Le premier qui trouve quelque chose d'inhabituel fait signe à l'autre.

Pendant deux heures, ils scrutèrent chacun des vieux monuments funéraires qui tenaient encore debout. Mais malgré cette inspection, ils ne découvrirent rien d'intéressant. Découragés, nos deux enquêteurs se rejoignirent au milieu du cimetière pour faire le point.

Chloé, exténuée et visiblement découragée, regarda son ami :

— Hunter ! Que fait-on maintenant ? Il y a des gens qui meurent ! On doit à tout prix arrêter ça !

— Je sais…, fit Hunter, soucieux.

Alors qu'il fixait machinalement la grosse pierre tombale qui lui faisait face, Hunter remarqua un bâton en forme de serpent planté devant.

— Chloé regarde ! s'exclama-t-il en lui faisant faire un demi-tour. Tu vois ce bâton, juste à côté de cette pierre. Tu ne trouves pas qu'il a l'air bizarre !

— Tu as raison. On dirait un serpent, remarqua Chloé en s'approchant de cette mystérieuse branche dont on avait retiré l'écorce.

— Attends ! Je vais le sortir de là, fit Hunter en se penchant pour tirer sur le bout de bois.

— Non Hunter ! N'y touche pas. C'est peut-être le seul ornement que cette pauvre madame Atkins aura sur sa tombe, plaisanta Chloé pour détendre l'atmosphère.

— Tu as bien raison... mais... attends un peu ! s'écria Hunter, comme frappé par une soudaine illumination.

Croyant avoir mis la main sur un nouvel indice, le jeune limier commença à examiner la pierre attentivement dans ses moindres détails, tout en repoussant de temps en temps ses grosses lunettes.

— Chloé approche ! Regarde attentivement cette pierre. Qu'est-ce que tu y lis ?

Utilise ta loupe et aide Hunter et Chloé à trouver leur
quatrième indice

— Rien de spécial. Juste Amélie Atkins 1889-1923. Je ne vois rien qui pourrait…

— Non ! Regarde au-delà de ça, coupa Hunter, le regard brillant. Si tu retires, de ce prénom, la première et la dernière lettre, ainsi que le T et le S du nom de famille et que tu rassembles le tout. Qu'est-ce que ça donne ?

— Incroyable ! Méli… a… kin. Wow ! Tu es trop génial Hunter Jones ! jubila Chloé. Le second morceau de la carte se trouve forcément ici. Il est peut-être dans la tombe de cette madame Atkins ou bien sous cette grosse pierre.

— Il n'y a pas de temps à perdre ! On doit trouver cet indice primordial, décréta Hunter.

En disant cela, il se mit aussitôt à inspecter les pourtours de la pierre tombale et vit soudain un UBOT ED RAIPEP dans un sac de plastique.

— Regarde Chloé !

— Hunter… tu sais que si on se fait prendre on sera accusés de profanation d'un lieu sacré, prévint Chloé qui se voyait déjà les menottes aux poignets.

— Je sais, mais on n'a pas d'autre choix. Allez ! Viens m'aider, insista Hunter, rendu fébrile par sa découverte.

Avec l'aide de Chloé, il renversa la grosse pierre.

— Hunter ! Regarde. Une enveloppe plastifiée, s'écria Chloé en apercevant la pièce à conviction coincée sous la grosse pierre funéraire.

— En plein dans le mille ! fit Hunter. On tient ce que nous cherchions.

— Vite ! replaçons la pierre et filons au labo pour examiner tout ça de plus près, suggéra Chloé, encouragée par leur trouvaille…

Un indice bien caché

De retour à la maison, ils furent accueillis par la mère de Hunter, tout heureuse de voir son fils, d'habitude si solitaire, en compagnie de Chloé.

— Chloé ! Tu aimerais rester à souper ?

— Bien sûr, madame Jones ! Ça me plairait bien ! Il faut juste que je prévienne mes parents, répondit Chloé

— M'man, on descend au sous-sol. J'ai des trucs à faire avec Chloé. On doit terminer notre travail d'équipe. Il faut le remettre sans faute lundi matin. Alors s'il... te... plaît..., ne viens surtout pas nous déranger, martela Hunter en esquissant un sourire taquin à l'endroit de Chloé.

— Pas de problème, mon grand. Je vous appelle lorsque le souper est prêt.

— Dac ! À tantôt, acquiesça Hunter.

Suivi de Chloé, il dévala l'escalier à toute vitesse pour ensuite se barricader dans son laboratoire.

Les deux portions de la carte, une fois rassemblées, un endroit, marqué d'une petite croix rouge, apparut et, sur le cadre, le dessin d'une main pointant un endroit précis.

— Mais... regarde Chloé ! Il y a un édifice juste là. Je ne comprends pas. Actuellement, il y a un parc à cet endroit. Pourquoi, un édifice y est indiqué ?

— Laisse-moi voir, répondit Chloé en approchant la lampe-loupe du papyrus. Mais oui ! Je reconnais ce lieu. C'est là où était situé l'ancien théâtre qui a été démoli il y a quelque temps.

— On doit y aller ! On ne sait jamais ! Nous y trouverons peut-être quelque chose en rapport avec notre enquête, conclut Hunter en enfouissant dans sa poche les indices trouvés jusque-là.

Ensuite, ils remontèrent rapidement au rez-de-chaussée :

— M'man ! On doit aller faire un truc. On sera de retour au plus tard à dix-huit heures, promit Hunter en raflant au passage deux grosses pommes dans un plat, sur la table.

— OK ! Le souper sera prêt. On se voit tout à l'heure ! répondit Angela affairée.

L'endroit indiqué sur la carte étant situé à plus d'une heure de marche de la maison de Hunter, nos deux limiers durent, une fois de plus, utiliser leurs vélos pour gagner du temps.

Une demi-heure leur suffit alors pour parcourir la distance entre la maison et le parc.

Lorsqu'ils arrivèrent sur les lieux, ils constatèrent que l'endroit était désert.

— Personne en vue ! On a la voie libre pour inspecter les lieux, lâcha Hunter encouragé.

Ils se dirigèrent près d'un belvédère en bois récemment construit en l'honneur des illustres comédiens de l'ancien théâtre.

De là, ils se mirent aussitôt à examiner leur environnement, puis chaque recoin du terrain. Ils terminèrent leur examen des lieux par le petit pavillon.

Découragé, Hunter s'installa sur un des bancs et sortit la carte pour l'examiner à nouveau à l'aide de sa loupe portative en espérant pouvoir découvrir ainsi un indice qui serait passé inaperçu.

— Hunter ! Il y a assurément un détail qui nous échappe, lança Chloé.

— Je ne vois pas lequel ! répondit ce dernier en relevant la tête pour admirer quelques secondes le paysage où trônait un chêne majestueux.

Tandis qu'il détaillait le grand végétal, Hunter se souvint d'un petit détail sur la carte. Intrigué, il reprit sa loupe et refit un examen minutieux du papyrus.

— Mais oui ! C'est ça ! Pourquoi ne l'ai-je pas vu avant ! s'exclama-t-il comme s'il venait de résoudre un des grands mystères de l'univers.

— Quoi ! Explique-moi, fit Chloé suspendue à ses lèvres.

— Regarde Chloé ! Là, juste sous mon doigt. Que vois-tu ?

— Mais… je ne vois que le dessin d'un arbre, répondit la jeune fille qui ne comprenait pas où son ami voulait en venir.

— À part cet arbre centenaire, qu'est-ce qui a changé ici ? insista Hunter avec le même éclat rusé dans le regard qu'elle avait remarqué quand il tenait une piste.

— Oh ! Je vois ! s'exclama Chloé qui venait de comprendre. L'arbre ! Il est toujours là, alors que tout le reste n'existe plus.

— Voilà ! Nous devons chercher le coffre, ou l'indice nous y conduisant, autour ou dans cet arbre, conclut Hunter qui, encouragé par sa découverte, rangea sa loupe et sa carte et commença à examiner avec sa complice le grand chêne et le parterre environnant.

— Hunter, regarde ! fit Chloé quelques minutes plus tard en pointant du doigt un petit signe gravé sous un morceau d'écorce à demi arraché. N'est-ce pas le symbole de la confrérie ?

— Laisse-moi voir ça de plus près, fit Hunter en sortant sa loupe. Hum… Tu as raison, c'est bel et bien deux serpents s'entrecroisant autour d'une épée coiffée d'une couronne. Le même symbole que nous avons vu sur la pièce de monnaie de la confrérie des Seigneurs de Méliakin.

— Mais, Hunter… Je ne comprends pas. Pourquoi aurait-on gravé cette effigie ici ? Ça ne veut rien dire.

— Réfléchis, Chloé ! Ça veut tout dire ! Depuis le début, le gardien du trésor, celui qui a tout planifié, savait qu'à un moment ou à un autre, il y aurait quelqu'un de malveillant qui voudrait s'emparer du coffre. Il a donc fait en sorte de le cacher de façon à créer une sorte de chasse au trésor, en espérant ainsi que des gens bien intentionnés puissent le retrouver avant en suivant les petits cailloux qu'il a semés.

— Donc… Si je suis ta logique, tu crois que ce mystérieux personnage, responsable du trésor de la confrérie, s'est donné tout ce mal parce qu'il savait que quelqu'un de malhonnête chercherait un jour à s'en emparer ?

— Exact ! J'ignore ce que contient ce coffre aux reliques, mais il doit renfermer quelque chose de **TRÈS** précieux pour qu'un homme soit prêt à tuer pour en obtenir le contenu, réfléchit Hunter à voix haute.

— Dans ce cas, il faut trouver des pelles et creuser sous cet arbre, proposa Chloé.

— Creuser ! Non, je ne crois pas. Ce serait trop facile. Le trésor se cache forcément dans un autre endroit. Je pense qu'on doit avant tout découvrir un autre indice. N'oublie pas que nous sommes en pleine chasse au trésor et, dans ce cas, la partie n'est jamais gagnée d'avance, conclut Hunter. Nous devons réfléchir et nous servir de notre intelligence pour entrer dans la peau du mystérieux propriétaire du coffre afin de découvrir où il veut nous conduire.

— OK. Comment procède-t-on ? On ferme les yeux, on se concentre et par magie on devine pourquoi il a laissé cet indice sur cet arbre…, ironisa Chloé.

— Exactement ! Tu as tout compris ! Ferme les yeux et visualise un type vêtu d'un long manteau sombre et d'un chapeau qui cache son visage. Il est armé d'un long couteau, peut-être est-il traqué, répondit Hunter, le plus sérieusement du monde.

— Non, mais tu rigoles ! Tu veux vraiment que je me prête à ce jeu ridicule ?

— Chloé ! Jusqu'à présent, a-t-on échoué dans quelque chose ou est-ce que je t'ai laissé croire que tout ce que je faisais ne menait à rien ?

— Non, jusqu'à présent notre enquête va bien.

— Alors, continue à me faire confiance et on arrivera sûrement à trouver ce fichu trésor.

Chloé se prêta, bien malgré elle, à l'exercice proposé par Hunter. Après quelques secondes, elle s'écria :

— Je vois un homme, Hunter... Il y a quelqu'un qui le suit ! C'est pourquoi il n'a pas le temps d'ensevelir le coffre, mais il laisse tout de même un précieux indice pouvant conduire au nouvel emplacement où il cachera le trésor avant de quitter les lieux.

— Voilà ! C'était simple. Maintenant, cet indice a peut-être été mis là intentionnellement afin de leurrer celui qui le traque pour le dérouter pendant qu'il va enterrer le coffre dans un endroit plus sûr, supposa Hunter.

— Mais... pourquoi avoir laissé un indice sur un arbre ? Ça ne rime à rien ! lâcha Chloé en rouvrant les yeux, déstabilisée par cet exercice de concentration. Il aurait pu le laisser sur un des murs du théâtre ou même...

— Un des murs du théâtre ? Pas bête ça ! marmonna Hunter d'un air songeur. Et s'il avait laissé plusieurs indices afin de dérouter l'ennemi et que les autres étaient gravés sur les murs de l'ancien théâtre qui a été démoli ?

— Hunter… J'espère que tu rigoles ! Les débris du vieux théâtre ont été jetés aux ordures et enfouis à la décharge municipale il y a bien longtemps. La seule chose qui a été conservée en souvenir du vieux théâtre, c'est la porte d'entrée de style moyenâgeux.

— Et où conserve-t-on cette porte ? demanda Hunter avec empressement.

— Ben… Il paraît qu'elle a été transformée en une œuvre d'art qui orne le mur d'exposition du nouveau théâtre, pourquoi ?

— Mais oui ! C'est ça Chloé ! Tu es géniale ! s'exclama Hunter.

— Moi ? Ah bon ! Mais… explique-moi pour que je comprenne, parce que là, je ne te suis plus du tout.

— Nous devons absolument nous introduire dans le nouveau théâtre. Qui sait ! Il y a peut-être un indice vital gravé sur cette vieille porte qui pourra nous aider à trouver le fameux coffre renfermant le trésor des Seigneurs de Méliakin.

— Hum... Je ne sais pas si je pourrais m'esquiver cette nuit encore..., réfléchit Chloé à haute voix. Hier, ma mère m'a surprise en train de me déshabiller au petit matin et m'a posé un tas de questions. J'ai dû inventer une histoire à dormir debout, genre somnambulisme, afin de chasser ses soupçons.

— Mais qui te dit qu'on doit attendre cette nuit, rétorqua Hunter. Le théâtre est fermé durant toute la semaine de congé, non ?

— Oui, tu as raison. Dans ce cas, qu'est-ce qu'on attend ? s'exclama Chloé en sautant sur sa bicyclette.

La chasse aux indices

Alors qu'ils roulaient en vélo vers le nouveau théâtre, une voiture banalisée s'amena derrière eux. Le passager, un policier en uniforme, fit signe au chauffeur de ralentir. Arrivé à leur hauteur, l'agent s'adressa à Hunter d'une voix où perçait une pointe de raillerie :

— Salut les jeunes. Ça va ? Beau temps pour une balade en amoureux.

Résignés, Hunter et Chloé stoppèrent leur course. Hunter se tourna vers le policier et lui répondit :

— Ouais ! Beau temps pour une promenade en vélo.

— Mais…, attends un peu ! Je te reconnais toi, grommela le policier qui conduisait. Tu es le petit fouineur qui traîne toujours sur les scènes de crime.

— Bah, oui ! C'est possible... Bon ! bien là, on doit y aller ! Désolé, mais on est un peu pressé parce que…

— On doit y aller, parce qu'on participe à une chasse au trésor organisée par les bénévoles du club des scouts, inventa Chloé pour porter secours à Hunter qui cherchait une façon polie de s'éclipser.

— Ah, bon ! Dans ce cas, soyez prudents et ne rentrez pas trop tard. Avec ce tueur qui rôde, les rues ne sont plus sécuritaires, prévint le policier qui les avait interpellés.

— Oui m'sieur ! fit Hunter, soulagé de les voir repartir en trombe tous gyrophares allumés pour se rendre sur les lieux d'un accident, suite à l'appel d'urgence qu'ils venaient de recevoir.

Lorsque le véhicule disparut de leur vue…

— Oufff ! Le policier assis derrière le volant m'a fichu une de ces trouilles, quand il m'a reconnu. Il est toujours là sur les scènes de crime. Chaque fois qu'il me voit, il me prend à partie. Après tout, je ne fais qu'observer, se défendit Hunter.

— Il ne fait que son travail, Hunter, lui dit Chloé. Est-ce que ça se peut que tu aies une dent contre ce policier ? Si tu étais à sa place, tu ferais sans doute pareil.

— Boff ! Tu as peut-être raison, maugréa ce dernier. Y'a vraiment quelque chose qui ne me revient pas chez lui. Bon, il faudrait accélérer la cadence si l'on veut être chez moi avant dix-huit heures. Ma mère déteste que je sois en retard, surtout lorsqu'elle s'est démenée toute la journée pour préparer un bon souper.

— Ce sera serré, il est déjà seize heures trente, remarqua Chloé en jetant un coup d'œil à sa montre.

Dix minutes suffirent à nos deux comparses pour arriver devant le grand théâtre aux baies vitrées, couvertes d'affiches promotionnelles annonçant les futures représentations.

— Viens ! On va faire le tour du bâtiment pour voir si on ne pourrait pas trouver une autre entrée plus discrète, suggéra Hunter en longeant le mur de briques du côté gauche. À quelques centaines de pieds, ils arrivèrent dans une cour remplie de gros feuillus obstruant la vue des voisins sur le théâtre. Encouragés, nos deux espions poursuivirent leur investigation.

À mi-parcours, ils arrivèrent devant une sortie d'urgence. À première vue, le pan en acier servant de porte de secours semblait invulnérable. Loin d'être découragé, Hunter, qui avait plus d'un tour dans son sac, fouilla dans son imper et en sortit une longue tige plate et mince en acier d'une trentaine de centimètres. Il l'inséra entre la porte et le cadre pour ensuite la tirer et la pousser de façon saccadée.

— Dépêche ! On va se faire repérer ! lui chuchota Chloé qui faisait le guet, en tournant le dos à son complice.

— Ça va ! Je fais ce que je peux ! maugréa Hunter qui se démenait comme un forcené.

Quand soudain :

« Clok ! »

— Je l'ai eu ! lâcha-t-il.

Il entrouvrit doucement la porte et jeta un coup d'œil furtif à l'intérieur du théâtre, avant de s'y engouffrer, suivi par Chloé.

— Décidément… Tu m'impressionnes de plus en plus Hunter Jones ! Il n'y a pas grand-chose qui te résiste !

Hunter, l'air satisfait, se contenta de sourire en repoussant comme à son habitude ses grosses lunettes.

— Maintenant, il ne nous reste plus qu'à trouver cette fameuse porte.

— Viens, suis-moi ! Je crois me souvenir où ils l'ont mise. Je l'ai d'ailleurs aperçue lorsque je suis venue ici avec l'école pour assister à une pièce de théâtre, précisa Chloé avant de se diriger vers l'entrée principale.

Ils traversèrent le grand théâtre dans la pénombre, puis débouchèrent dans le hall d'entrée...

— La voici ! fit Hunter en voyant l'œuvre d'art au style éclaté.

À l'aide de leur lampe torche, ils se mirent à examiner minutieusement la porte.

— Je ne vois pas de signes là-dessus, fit Chloé en constatant, du coup, que l'artiste avait recouvert le tout d'une couche de stuc peinturluré.

Sans mot dire, Hunter, sous le regard estomaqué de Chloé, sortit son couteau suisse et planta plusieurs fois sa lame à la surface, à la recherche d'un son creux.

— Hunter ! T'as perdu la tête. C'est une œuvre d'art et elle vaut des milliers de livres, le gronda Chloé, outrée de voir son ami s'attaquer à une si belle sculpture.

— Ah, oui ! Et crois-tu qu'elle vaut plus que la vie de l'innocent qui sera la prochaine cible du tueur au foulard ? l'interrogea Hunter en stoppant son geste pour la fixer à travers ses grosses lunettes noires.

— Hum... tu as raison, reconnut Chloé. On doit le faire.

Hunter reprit son examen et s'arrêta à un endroit précis où le son lui sembla plus sourd. Il donna alors un vigoureux coup de couteau.

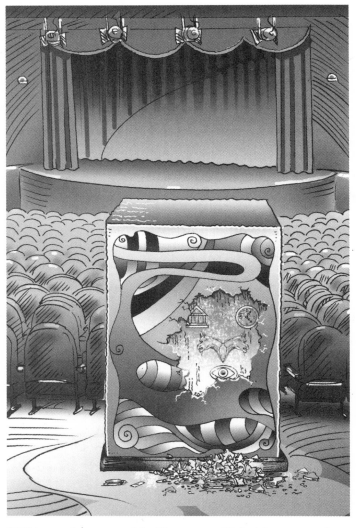

Utilise ta loupe et aide Hunter et Chloé à trouver leur cinquième indice.

Sous l'impact, le plâtre craqua et tomba par terre en petits morceaux, découvrant ainsi une partie du bois d'origine qui n'avait pas été peint.

— Regarde ! fit Hunter en pointant de sa lame un symbole étrange qui se trouvait à demi caché sous la partie du stuc encore en place.

— Allez ! Un autre bon coup devrait dévoiler le reste des signes, l'encouragea Chloé, cette fois-ci hautement intriguée.

Hunter s'élança et frappa un grand coup sur la gigantesque porte. Sa lame se brisa sous l'impact et une bonne partie du plâtre se retrouva à ses pieds, laissant apparaître une série de symboles étranges.

— Voilà le reste du casse-tête ! lâcha Hunter, heureux de sa découverte.

Il sortit sa loupe et se mit à scruter attentivement chacun des signes gravés dans le bois.

— Je pense que je connais la signification de ces symboles ! s'exclama Chloé en s'approchant du tableau.

— Hein ! fit Hunter, étonné. Comment peux-tu savoir ce qu'ils signifient ?

— Parce que je les ai déjà vus quelque part…, marmonna-t-elle.

Alors que Hunter replongeait dans son examen, Chloé, comme sous le coup d'une révélation, s'exclama :

— Ça me revient maintenant, regarde ce symbole ! C'est celui du musée des civilisations. L'autre signe à côté c'est la grosse horloge qui indique le funérarium et le troisième, le gros œil, il rappelle celui qui est sur la pancarte de la boutique de sorcellerie.

— Hum… et à ce que je vois, les trois signes forment un triangle. Le quatrième signe quant à lui semble prisonnier à l'intérieur du triangle. Il représente deux têtes de UILGAROGLES comme on en voit au sommet des cathédrales de l'ancien temps.

— Si nous trouvons la signification de ce signe, nous connaîtrons forcément l'emplacement du coffre, conclut Chloé.

Hunter dont la curiosité était attisée au maximum, poursuivit l'examen des deux horribles têtes.

— Chloé ! Tu as une idée de ce que ça peut bien vouloir dire ! demanda Hunter en se grattant le menton à la manière du célèbre Sherlock Holmes, l'air de réfléchir intensément.

— Je sais ! Ça se trouve au nouveau cimetière. C'est là que le célèbre romancier Léon Lelong a été enterré. Je savais que j'avais déjà vu ces gargouilles quelque part !

— Et tu sais où se trouve sa sépulture ?

— Oui ! L'an dernier, je suis allée au cimetière avec ma grand-mère et nous nous sommes arrêtés devant une énorme pierre tombale surplombée par deux gargouilles qui semblaient monter la garde en permanence. Lorsqu'elle était jeune, ma grand-mère a bien connu ce grand écrivain. Elle m'a raconté qu'il était un fervent admirateur de tout ce qui était médiéval et qu'il s'en était inspiré pour écrire deux de ses romans qui l'ont rendu célèbre.

— Parfait ! On retourne à la maison et, après le souper, on ira y faire un tour, proposa Hunter en repoussant du pied les morceaux de plâtre contre le mur pour ensuite filer vers la sortie de secours avec Chloé sur les talons.

Le coffre aux reliques

Encouragés par leur nouvelle découverte, nos deux limiers enfourchèrent leurs vélos et déguerpirent à toute vitesse en direction de la maison de Hunter où Angela les attendait avec impatience.

« Bang ! »

— Allô m'man !

— Bonjour madame Jones !

— Bon ! Vous voilà enfin ! s'exclama Angela en jetant un coup d'œil à l'horloge dont les aiguilles avaient dépassé les dix-huit heures trente.

Où étiez-vous passés ? Je commençais à être inquiète…

— Oh… Eh bien… On a traîné au parc et on n'a pas vu passer l'heure, s'excusa Hunter tandis qu'il accrochait son costume fétiche sur la patère.

— Bien ! À table ! décréta Angela, heureuse de leur servir son rôti de porc braisé, un plat dont raffolait Hunter.

Dès qu'il fut servi, Hunter se mit à manger goulûment…

— Hum ! Excellent m'man ! déclara-t-il entre deux grosses bouchées. Ton repas est succulent !

— Hé ! Prends ton temps mon grand, sinon tu risques d'exploser, le taquina Angela.

Chloé, quant à elle, était tout sourire à la vue de son ami occupé à engloutir son repas comme le ferait un ogre affamé.

La dernière bouchée prise, Hunter se leva prestement de table.

— Merci m'man ! C'était super ! Mais là, on doit vraiment y aller. Je vais reconduire Chloé chez elle et je reviens aussitôt après.

— OK, mais ne traîne pas trop en chemin. J'ai besoin de toi un peu plus tard. Demain, c'est la *vente-débarras*. Tu te rappelles que je t'ai demandé un coup de main pour faire le ménage du garage. Tu n'as pas oublié, j'espère ?

— Non, non, m'man, j'ai pas oublié... À plus ! fit-il en refermant la porte derrière lui.

Une fois à l'extérieur, Chloé, qui n'était plus certaine de vouloir aller au cimetière alors que le crépuscule s'installait, lui dit d'une toute petite voix.

— Hunter... Tu sais... On peut très bien remettre cette escapade à demain, lorsqu'il fera jour. Finalement, ce n'est pas si pressant que ça...

— Qu'est-ce que tu as Chloé ? questionna-t-il.

N'obtenant pas de réponse, il poursuivit :

— OK, je vois… tu as les jetons ! Écoute si tu ne te sens pas à l'aise avec tout ça, je peux très bien y aller seul…

— Non, non, je n'ai pas la trouille, répondit Chloé, tout en pensant le contraire. C'est juste que je me disais… pour des recherches, ce serait mieux en plein jour. Ah ! Oublie ça !

Puis elle s'esquiva en enfourchant son vélo.

— *Wow* ! *Elle n'est pas facile à suivre cette fille-là*, pensa Hunter tout en la rejoignant.

Ils prirent alors la route du nouveau cimetière. Après avoir roulé dans les rues durant une bonne dizaine de minutes, ils arrivèrent devant une immense grille noire fermée par un gros cadenas. Ils décidèrent d'abandonner leur vélo et de faire le reste du chemin à pieds.

Chloé qui connaissait les lieux prit les devants.

— Suis-moi ! C'est par là, lui indiqua-t-elle en pointant un mausolée abrité par de grands arbres, tout au fond du cimetière.

La pénombre étant maintenant bien installée, Chloé n'appréciait guère le fait de se retrouver dans cet endroit lugubre. L'ombre des pierres tombales s'allongeait sur le sol, ce qui donnait au lieu un aspect sinistre.

Ayant atteint l'énorme pierre tombale où reposait Léon Lelong, le célèbre écrivain, Hunter et Chloé, plantés devant le monument, commencèrent à examiner les affreuses statuettes qui l'ornaient. Au moment où Hunter allait poser la main sur l'une d'entre elles, une voix grave monta derrière eux, qui les figea sur place.

— Hé ! Que faites-vous à traîner ici ! demanda le gardien du cimetière en affichant un air sévère.

Vêtu d'une salopette et chaussé de grandes bottes, ce dernier arborait une chevelure coupée en brosse et une courte barbe. Ses ongles sales et son teint grisâtre n'avaient rien pour rassurer nos jeunes visiteurs. Il avait l'air de sortir tout droit d'une tombe, tant il paraissait irréel.

L'homme s'arrêta à quelques pas d'eux et se mit à les détailler. Il tenait une pelle dans la main droite et une paire de cisailles dans l'autre.

— Euh… eh bien, on est venu rendre…

— Visite à notre grand-oncle ! continua Chloé en voyant Hunter chercher ses mots.

— Léon Lelong, c'est votre oncle ! s'exclama le cerbère des lieux d'un air méchant en regardant la pierre tombale en face d'eux. Ça, ça m'étonnerait beaucoup… Il n'avait pas de famille.

— Eh bien ! moi je vous dis que c'est notre grand-oncle ! reprit Hunter sur un ton plus convaincant cette fois-ci.

— Il a raison. Il avait une demi-sœur dont il a caché l'existence, renchérit Chloé, un brin nerveuse.

— Nous… On n'a appris sa mort que récemment et on était venu lui rendre visite. Est-ce qu'on a le droit ou ça prend une autorisation spéciale ? Non, mais ! C'est quoi cette façon d'aborder les gens ! On ne peut même pas venir se recueillir en paix sur la tombe de notre grand-oncle ? Je vais me plaindre au révérend, grommela Hunter qui en rajoutait en voyant l'homme de plus en plus mal à l'aise.

Devant la mine déconfite du gardien, Chloé retenait à grande peine son envie de pouffer de rire. Pour faire diversion, elle fouilla dans ses poches dans l'espoir de mettre la main sur une boule de gomme. Aussitôt trouvée, elle s'empressa de la mettre dans sa bouche.

— Bon, ça va les jeunes… Pas la peine de vous énerver. Je vous laisse tranquille, grommela le jardinier qui s'éloigna en marmonna des paroles à peine audibles au sujet de jeunes voyous qui vandalisent les cimetières.

— Wow, Hunter ! Là, j'avoue que tu m'étonnes ! Non, mais… t'as jamais pensé faire du théâtre. C'est que tu as un réel talent de comédien, le félicita Chloé.

— Vu l'importance de notre mission, nous devons utiliser tous nos talents pour arriver à nos fins, se défendit Hunter.

Lorsque le gardien fut hors de vue, Hunter reprit son examen des lieux.

— Bon, eh bien, maintenant… si tu nous disais où se cache ce fameux coffre, marmotta Hunter à l'intention du mausolée.

Après avoir examiné chaque recoin du monument, ils ne trouvèrent pas la moindre trace d'un coffre ou d'un quelconque indice.

— Zut ! On a fait tout ça pour rien ! Il n'y a pas de coffre ici, conclut Chloé.

Fatiguée et frustrée elle ramassa un petit caillou et le jeta sur la grosse pierre funéraire en signe de découragement.

« Toc ! »

— Chloé ! Tu as entendu ce son creux ? lâcha Hunter qui examinait une des gargouilles. On dirait bien… que ça vient de… là !

Hunter jeta à son tour un caillou contre le monument.

« Toc ! »

— Ça se trouve là-dedans, j'en suis sûr !
s'exclama-t-il, encouragé. Mais… comment
l'ouvrir ?

Intriguée, Chloé grimpa sur le rebord du monument. Après un geste maladroit, elle se retrouva en
déséquilibre et perdit pied. Paniquée, elle s'agrip-
pa à l'une des gargouilles pour éviter de s'étaler de
tout son long.

Utilise ta loupe et aide Hunter et Chloé à trouver leur sixième indice

« Hiiiiic… Clik ! »

C'est alors que la tête de la gargouille pivota sur elle-même. Surprise, Chloé lâcha prise et se retrouva assise par terre sous le regard ahuri de Hunter. Soudain, un grincement désagréable se fit entendre, suivi d'un déclic sonore. Une petite OPRET, jusque-là invisible, s'ouvrit brusquement dévoilant ainsi un orifice. Hunter et Chloé s'en approchèrent et découvrirent une petite boîte en bois sculpté, fermée à clé, qui reposait à l'intérieur de la pierre creuse.

— C'est pas vrai ! J'en crois pas mes yeux ! C'est le fameux coffre aux reliques, s'exclama Hunter en s'en emparant.

Après un coup d'œil furtif aux alentours, Hunter planqua la boîte sous son imper.

— On l'a trouvé ! Il existe vraiment ! jubila Chloé. Fais-moi voir !

— Chutt ! Chloé… Je jurerais avoir aperçu une mystérieuse silhouette disparaître derrière cette énorme pierre tombale, reprit Hunter inquiet. Vite ! Fichons le camp d'ici. Je crois qu'on nous a suivis…

— Mais non ! C'est ton imagination qui te joue des tours. Allez ! Montre un peu ce que tu as trouvé ! insista Chloé.

— Laisse faire mon imagination ! Il faut ficher le camp d'ici, je te dis. On est peut-être surveillé. Je te le monterai à la maison, c'est promis, chuchota Hunter en se dirigeant rapidement vers l'entrée du cimetière, suivi de sa fidèle complice qui mourrait d'envie de voir le contenu du mystérieux coffre.

Heureux de leur découverte, ils rebroussèrent chemin, pressés de pouvoir enfin examiner leur trouvaille tout en se demandant quel précieux trésor pouvait contenir ce mystérieux petit coffret d'acajou…

13

La liste noire

Alors qu'ils pédalaient vers la demeure de Hunter, celui-ci bifurqua brusquement en direction du parc situé devant chez lui.

— Mais… Hunter… Où tu vas ? Attends-moi, s'écria Chloé qui peinait à le suivre.

Le parc atteint, Hunter abandonna son vélo par terre et se dirigea immédiatement vers la cabane de la piscine municipale qu'il contourna. À un endroit précis, il souleva la grosse planche qui donnait accès aux douches.

— Vite ! Amène-toi ! fit-il en retenant la porte improvisée.

— Mais Hunter ! N'étions-nous pas censés aller à ton labo ? demanda Chloé intriguée.

— Oui, mais ma mère va nous tomber dessus avec sa fichue vente-débarras, et je veux prendre le temps d'examiner le contenu de ce coffret à l'abri des regards.

— Dans ce cas, montre-moi vite ce qu'il contient ! l'encouragea-t-elle en allumant sa petite lampe torche pour éclairer la pièce plongée dans l'obscurité.

Hunter sortit précautionneusement le petit coffret d'acajou. Sur le dessus, apparaissaient les armoiries de la confrérie des Seigneurs de Méliakin. Il le posa doucement devant eux. Bien qu'il désirât ardemment découvrir ce qu'il y avait à l'intérieur, Hunter hésitait à l'ouvrir.

C'était un moment solennel pour nos deux apprentis détectives. Ils n'avaient négligé aucun effort afin de retrouver ce précieux trésor.

— Qu'est-ce que tu attends ? Allez ! Ouvre-le ! s'impatienta Chloé.

Hunter prit dans sa poche la petite clé qu'ils avaient trouvée au musée et l'inséra délicatement dans la serrure. Il lui fit faire un tour complet vers la gauche puis souleva délicatement le couvercle du coffre, impatient de voir ce qu'il contenait.

— Ben, ça alors ! firent nos deux chasseurs de trésor à l'unisson en affichant une mine déconfite devant le contenu.

— Il n'y a que des vieilleries sans valeur ! maugréa Hunter, désappointé.

— Mais… c'est une farce ou quoi ! s'insurgea Chloé. On s'est donné toute cette peine pour ces peccadilles ?

Puis, voyant le désintérêt total de Hunter, la jeune fille prit le coffre et se mit à en faire l'inventaire.

— Tu imagines Hunter ! On a perdu notre temps pour quelques vieilles pièces de monnaie, quelques médailles honorifiques, un simple trousseau de clés et un vulgaire bout de papier roulé et retenu par un ruban rouge. Tu parles d'une belle enquête ! On a risqué la prison et on a peut-être un tueur en série à nos trousses. C'est pas normal !

Y'a sûrement quelque chose qui nous échappe… Le problème c'est que je ne vois pas ce que c'est, termina Chloé découragée.

— T'as raison Chloé. Je ne peux pas croire qu'on puisse tuer pour ça ! maugréa Hunter.

Chloé qui réfléchissait en tripotant le contenu du coffre, attrapa le mystérieux papier et tira sur le ruban rouge qui l'entourait. Elle le déroula doucement et lut silencieusement ce qui y était inscrit.

Soudain, son visage sembla se décomposer.

Hunter, qui regardait son amie, vit celle-ci poser sa main sur sa bouche comme si elle venait de voir quelque chose d'horrible.

— Quoi ? Qu'est-ce qu'il y a ? Parle !

Sans un mot Chloé tendit, d'une main tremblante, le papier à son ami.

— Non ! C'est impossible ! s'écria Hunter après avoir pris connaissance du document.

Sur le fameux document apparaissait un titre :

LISTE NOIRE DES SEIGNEURS BANNIS POUR HAUTE TRAHISON

— Tu as vu le dernier nom qui figure au bas de cette liste ! remarqua Hunter. Je n'en crois pas mes yeux ! L'ancien maire Stanford ?

— Je sais, je n'arrive pas à y croire ! Il semblait si gentil… Tu as vu ce dont il est accusé ? reprit Chloé.

— Il est accusé d'avoir volé l'une des deux clés servant à ouvrir le coffre où sont entreposées les richesses amassées par cette confrérie ainsi que des titres de propriété payables au porteur.

— Tu sais ce que ça veut dire, Chloé ? demanda Hunter.

— Oui ! Qu'il existe une autre clé et un autre coffre renfermant les trésors de la confrérie. Le tueur a une de ces clés, mais ne connaît pas l'existence de ce coffret ainsi que la liste qu'il contient. Il ne veut qu'une chose : La clé qui ouvre le coffre où sont entreposées les richesses de la confrérie.

— Tu as remarqué ce trousseau de clés, dit Hunter en prenant l'objet en question dans ses mains. Regarde Chloé cette clé. Tu ne la trouves pas bizarre.

— T'as raison ! Tu penses ce que je pense ?

— Oui ! C'est cette fameuse clé que le tueur cherche.

— OK, récapitulons. Nous détenons maintenant l'une des clés et le maire a été banni de la confrérie parce qu'il avait volé l'autre. Est-ce que tu crois qu'il l'a toujours en sa possession et que c'est lui qui serait le tueur au foulard, demanda Chloé à Hunter.

— Non, je ne crois pas, car dans la missive le tueur faisait référence à une seule clé. Donc, il est forcément en possession de l'autre et c'est peut-être le comte de Louisbourg qui en était le détenteur. Souviens-toi… c'était le chef de la confrérie. Donc, le tueur recherche une seule clé et c'est celle que nous détenons. Il y a également cette liste, Chloé. Si tu regardes bien, il y a deux autres noms d'inscrits. Il y a celui de Gérard Gold, l'ancien préfet de l'université, qui est mort il y a deux ans, et le dernier nom sur la liste est illisible, comme crypté.

— Tu crois que c'est le nom du tueur au foulard, demanda Chloé ?

— J'en suis persuadé, répondit Hunter.

Après un court silence…

— Chloé ! La seule façon de découvrir qui est le véritable tueur au foulard, c'est de lui tendre un piège, laissa tomber Hunter.

— J'espère que tu plaisantes ! C'est dangereux ! riposta Chloé, affolée.

— T'inquiète… Tant que le tueur ignore que nous avons le coffret et la liste noire, nous ne risquons rien, assura Hunter qui, comme tous les bons détectives, faisait preuve d'un calme désarmant.

— Mais Hunter… à la seconde où il l'apprendra, il voudra nous tuer, se rebiffa Chloé en attrapant le trousseau de clés qui se trouvait dans le coffre.

— Chloé, si je te dis qu'il n'y a pas…

« Crak ! »

— Chut ! fit Hunter en rangeant le contenu dans le coffret et planquant celui-ci sous son manteau.

Figés comme deux statues de plâtre, nos deux conspirateurs, sentant une présence qui rôdait autour du chalet municipal, retinrent leur souffle.

— Eh bien ! C'est ici que vous vous cachez ! lança Michaël Lebrun, dit « Big Mike », un de leurs camarades de classe.

— Big Mike ! Tu n'es qu'un idiot ! Tu nous as fichu une de ces trouilles ! maugréa Chloé en voyant un garçon rondelet aux cheveux roux et au visage couvert de taches de rousseur, sortir de la pénombre.

— Bah, ça va ! Calme tes hormones, Lacasse.

— Qu'est-ce que tu as dit gras double ? intervint Hunter en se levant d'un bond.

Il vint se planter devant le corpulent jeune homme et le fixa droit dans les yeux.

— Tu sais que si je voulais je te maîtriserais en moins de deux avec mon pistolet paralysant, bluffa Hunter en menaçant l'indésirable à l'aide de son index caché sous son imper. Alors, un conseil, Lebrun, reste poli avec Chloé.

— Bah... Pas... la peine de t'énerver Jones..., bafouilla Big Mike en reculant d'un pas, impressionné par la détermination de son interlocuteur.

— Je n'avais rien à faire, alors je vous ai suivi jusqu'au cimetière et après je suis venu ici pour traîner au parc. Quand j'ai vu vos vélos, j'ai voulu vous faire une blague. Rien de plus, s'excusa maladroitement le grassouillet garçon en tendant la main à Chloé, en gage de paix.

Après avoir jeté un regard qui en disait long en direction de Hunter, Chloé ravie de voir son fidèle complice prendre sa défense avec autant d'ardeur, tendit la main au nouveau venu et lui dit sur un ton calme :

— Ça va, Big Mike. Je sais que tu n'es pas méchant.

— Mais, au fait, que faisiez-vous dans le noir ? Vous sortez ensemble ? demanda l'imposant garçon, que leur présence dans les douches du chalet à cette heure tardive intriguait.

— Nous ! Sortir ensemble ! s'écrièrent en chœur Hunter et Chloé, soudain gênés.

— Tu délires ! reprit Hunter, furieux. On est venu ici pour discuter d'un truc important.

— Oui, il a raison, s'empressa d'approuver Chloé qui n'avait pas trop apprécié la réaction de Hunter.

— C'est au sujet de la mort de mon père et de la possibilité que je déménage, inventa Hunter avec un air faussement triste qui fit presque pouffer de rire sa complice.

— Ah, je vois… Je sais, c'est triste de perdre un parent, compatit le grassouillet visiteur qui avala le baratin de Hunter. Si tu as besoin d'un ami avec qui parler, je suis là, Jones ! Bon... je vous laisse. Je dois y aller ! On se voit en classe lundi ?

— Dac ! À plus, firent en cœur Hunter et Chloé qui éclatèrent de rire après le départ de l'indésirable.

— Sacré Hunter. Tu devrais songer sérieusement à te diriger vers une carrière de comédien plutôt que de détective, déclara Chloé. Je suis impressionnée par tes talents d'improvisateur.

— Bah..., fit le jeune limier un peu gêné.

— Hunter... Merci pour tout à l'heure. Bien... tu sais... de m'avoir défendue, balbutia Chloé qui rougit, gênée.

— Je ne vois pas de quoi tu parles..., s'esquiva Hunter. Bon ! Et si nous partions ? Il se fait tard et j'ai promis à ma mère de l'aider avec sa vente-débarras.

— Bien, pas de temps à perdre dans ce cas, approuva Chloé en grimpant sur son vélo avec un petit sourire de satisfaction.

Après quelques minutes...

— À plus, Hunter ! Planque bien tu sais quoi, on se retrouve demain, lança Chloé avant de bifurquer en direction de sa maison.

— Dac !

14

Prisonnier du garage

Le lendemain matin…

Hunter et sa mère s'affairaient à étaler une foule d'objets sur des tables pliantes alignées près de la rue lorsque Chloé, sur son vélo, s'arrêta devant celle où Hunter venait de déposer deux vieilles lampes et quelques articles de cuisine usagés.

— Salut Hunter ! Pas trop mal dormi ? le questionna-t-elle tout en mâchouillant son habituelle gomme.

— Ah, salut Chloé, répondit Hunter peu enthousiaste.

— OK ! Je vois… tu es coincé ici et ça ne fait pas ton affaire, devina Chloé en voyant le faciès contrarié de son ami.

— Bonjour, Chloé ! claironna Angela.

— Bonjour madame Jones ! Belle journée pour faire une vente-débarras !

— Oui et, si tout va bien, nous allons enfin nous débarrasser de tout ça et faire de la place dans le garage. N'est-ce pas Hunter ?

— Oui, oui m'man…, grommela ce dernier occupé à dépoussiérer une vieille armoire à épices.

— Eh bien ! À ce que je vois, tu n'as pas l'air enchanté de devoir passer la journée avec moi, devina Angela.

— Mais non, m'man, c'est OK. Puisque c'est important pour toi, alors on le fait, reprit Hunter sans conviction tout en sortant tout un tas de vieilleries pour les étiqueter à un prix dérisoire.

— Si tu veux, je peux t'aider ! proposa Chloé tout sourire.

— Vraiment ? s'écria Hunter.

— Oui, oui ! Je n'ai rien de prévu aujourd'hui.

— Trop cool ! s'exclama ce dernier en retrouvant le sourire instantanément.

Après trois longues heures à discuter de tout et de rien et voyant que les clients n'étaient pas au rendez-vous, Angela ferma son gros bouquin bruyamment et lança :

— Bon ! On dirait que ce n'est pas une bonne journée pour les affaires. On range tout ça et on file manger un morceau au resto *Pizza Pasta* du coin. Je vous invite, ça vous dit ?

— Super ! firent Hunter et Chloé qui s'employèrent immédiatement à tout ranger dans des boîtes et à les empiler dans le garage.

Hunter prit Chloé par le bras et la retint près de lui.

— Psitt ! Après le dîner, on file au labo, chuchota Hunter en lui faisant un clin d'œil.

***

Une heure et demie plus tard…

— Bon, c'est quoi le plan ? demanda Chloé une fois assise dans le labo secret de Hunter.

— Hum… Laisse-moi réfléchir, répondit ce dernier en ouvrant le coffret des pièces à conviction.

Alors qu'ils fixaient la boîte d'un air pensif, Chloé lâcha :

— Je sais ! Nous allons aller au poste de police pour leur demander leur aide.

— Tu plaisantes ! rétorqua Hunter. Ils ne nous prendront pas au sérieux et ils vont nous faire courir.

— Même si nous leur montrons la liste noire ? laissa tomber Chloé.

— Ça, c'est hors de question ! riposta Hunter. Tu veux nous faire coffrer ? S'ils voient que tu cherches à salir l'ancien maire, les policiers t'enfermeront ! On ne peut pas faire ça ! Il jouit encore d'une certaine notoriété à cause des nombreuses années qu'il a passées à la tête de la ville.

— Hum... tu as peut-être raison. S'il y a des *ripoux* dans la brigade, cela risque de nous attirer des ennuis, marmonna Chloé, l'air pensif.

Après un court moment de réflexion...

— T'as une idée de ce qui nous reste à faire ? lui demanda-t-elle, tout en se rongeant les ongles.

— Hé ! Attends un peu... Tu ne m'as pas dit que ton oncle Benny travaillait à la brigade anti-drogue, dans le quartier de Whilechapel ?

— Oui. Mais quel rapport y a-t-il avec notre enquête ?

— Voyons Chloé ! Réfléchis. Tous les policiers sont un peu comme des frères d'armes et ils n'hésitent pas à s'entraider. Il nous faut juste convaincre ton oncle Benny de nous aider à conclure cette affaire, proposa Hunter.

— Rien que ça ! fit Chloé, l'air sceptique. Tu crois qu'on peut arriver chez lui et lui dire : hé oncle Benny on travaille sur l'affaire du tueur au foulard de Kensington. Peux-tu nous aider à le coincer ?

— Bah... c'est vrai que dit comme ça, nos propos pourraient lui paraître insensés. Mais... si on lui apporte tous les articles de journaux, les pièces à conviction que nous avons en notre possession, le coffret et la liste noire. Peut-être qu'il y réfléchirait. Qu'en dis-tu ? Ça vaut le coup de tenter notre chance ! Surtout si notre audace peut sauver la vie d'un innocent, plaida Hunter avec conviction.

— Hum... tu as raison. Ça vaut la peine d'essayer ! approuva Chloé dont le regard brillait de conviction devant le plaidoyer de son complice.

Encouragés par l'importance de leur mission, Chloé et Hunter quittèrent le labo, après avoir planqué le fruit de leur enquête dans un grand sac à chaussures en toile. Ils filèrent en direction de la maison de l'oncle Benny avec la ferme intention de le convaincre de les aider à dénouer leur enquête et attraper le tueur au foulard.

15

Une Visite impromptue

Après avoir pédalé pendant une trentaine de minutes, Hunter et Chloé s'immobilisèrent devant une petite maison de briques brunes avec un garage sur le devant. Au premier regard, ils crurent qu'ils avaient fait tout ce chemin pour rien. Les rideaux ornant les fenêtres étaient fermés et la maison semblait inhabitée. Ils abandonnèrent leur vélo près du chemin et Cloé remonta l'allée qui menait à la porte d'entrée.

— Tu crois que ton oncle est là ? demanda Hunter, sceptique.

— Oui. Ça, il n'y a pas de doute. Mais, il doit sûrement dormir. Selon moi, il a travaillé cette nuit et il roupille encore. Je crois qu'il vaudrait mieux revenir un peu plus tard. Tu sais, il peut être très…

— Écoute Chloé, on n'a pas de temps à perdre, l'encouragea Hunter qui l'attendait au bout de l'allée.

« Toc, toc, toc ! »

Mais rien ne se produisit.

— Il ne répond pas, Hunter. Comme je t'ai dit, il doit sûrement dormir, reprit Chloé qui cherchait à se défiler.

— Allez ! Sonne ! insista Hunter. On doit le voir absolument ! C'est une question de vie ou de mort !

— Bon, OK…, marmonna Chloé craignant la réaction de son oncle, réputé pour son caractère de vieux garçon endurci.

« Ding… Dong… »

— Quoi ! Vous ne voyez pas que je dors, bande d'imbéciles ! résonna une voix orageuse à l'intérieur. Quand allez-vous me foutre la paix… ?

La porte s'ouvrit brutalement laissant apparaître un homme à l'air furieux, vêtu d'un pyjama à rayures, les cheveux ébouriffés et arborant une barbe de deux jours. Quand allez-vous me foutre la…

— Bonjour… oncle Benny ! fit Chloé d'une toute petite voix en demeurant immobile, les bras ballants.

— … paix… Chlo ! Ben, ça alors ! Que fais-tu ici ? Je suis désolé, je croyais que c'était encore un de ces fichus colporteurs qui me réveillent chaque fois. Mais entre, voyons ! Ne reste pas plantée là. Et qui est ce jeune homme qui est avec toi ?

— C'est mon ami ! On a quelque chose de très important à discuter avec toi, expliqua Chloé en faisant signe à Hunter de venir les rejoindre.

— Entrez ! Faites comme chez vous ! Je suis très heureux de te voir ma belle Chloé. Donnez-moi juste quelques secondes. Je vais me faire un café, histoire de me réveiller un peu. J'ai eu une nuit infernale au boulot. Par chance à compter de ce matin, je suis en congé pour trois jours, précisa l'oncle Benny.

— Ça, c'est cool ! Dans ce cas, tu vas sûrement pouvoir nous aider, rétorqua Chloé en suivant son oncle à l'intérieur de la maison, serrée de près par Hunter.

La maison était plongée dans la pénombre jusqu'à ce que son propriétaire ouvre les rideaux pour laisser entrer la lumière du jour.

À leur grand étonnement, ils découvrirent une maison bien rangée et propre. Ce qui surprit Hunter, qui s'attendait à voir une maison poussiéreuse aux cendriers bondés de mégots de cigarette et de sacs de *croustilles* vides traînant ici et là comme dans les films policiers qu'il regardait parfois.

Non, à première vue, l'oncle Benny semblait être quelqu'un de très ordonné. Sa maison était propre et irréprochable. Après avoir humé et pris une bonne gorgée de son café, l'oncle Benny leur dit, sur un ton amical et empreint de curiosité :

— Eh bien ! Qu'est-ce qui est si important pour que ma nièce favorite me fasse cette visite surprise aujourd'hui ?

— Toujours aussi drôle oncle Ben, tu sais très bien que je suis ta seule nièce lui dit Chloé avec un regard complice.

— Oui et j'en suis heureux. Deux comme toi, ce serait beaucoup trop pour moi. Mais, attends un peu ! Je crois que tu as oublié de me présenter ton ami, coupa-t-il en regardant Hunter droit dans les yeux.

— Bonjour, m'sieur ! Je m'appelle Hunter Jones, répondit ce dernier, impressionné par l'énorme paluche, qui lui servait de main, tendue par l'oncle Benny.

— Moi, c'est Benny. Bon, maintenant que les présentations sont faites, je me doute bien que ce qui vous arrive doit être grave, sinon jamais tu ne te serais permis de venir réveiller ton oncle Benny après sa nuit de travail. N'est-ce pas Chlo ?

— Eh bien…, hésita Chloé.

— Vas-y ! Dis-lui tout. Il doit tout savoir ! l'encouragea Hunter sous le regard intrigué de son oncle.

— Parle Chlo. Tu sais que tu peux tout me dire. Qu'est-ce qui se passe ? renchérit l'oncle Benny d'une voix rassurante.

— Eh bien… Promets-moi que tu ne rigoleras pas et que tu accorderas un peu de crédibilité à ce que nous allons te raconter.

Après avoir fixé longuement ses deux visiteurs…

— Promis ! Vas-y, je t'écoute ! l'encouragea Benny dont le visage revêtit un air sérieux devant l'embarras de sa nièce adorée.

— Eh bien… Moi et mon ami Hunter… On travaille sur l'affaire du tueur au foulard.

— Le tueur au foulard de Kensington ? lâcha l'oncle Benny, étonné.

— Oui, depuis quelques jours avec Hunter, on mène notre propre enquête, parallèlement aux forces de l'ordre et…

— Chloé chérie ! J'espère que tu n'as pas fait de bêtises et que tu n'as pas entravé le travail des policiers, coupa l'oncle Benny, l'air inquiet. Qu'avez-vous fait au juste ?

— Bah… rien de bien grave, mon oncle. Si ce n'est que nous avons réussi là où les policiers ont échoué. Nous sommes sur le point de découvrir quelle est la véritable identité du tueur au foulard.

Lisant l'incrédulité sur le visage de son oncle, Chloé décide alors de lui montrer tous les fruits de leur enquête, les pièces à conviction et les articles de journaux. Du même souffle, elle lui expliqua qu'ils avaient fait tout cela dans le seul but de sauver des vies. Elle lui détailla la façon dont ils avaient procédé pour arriver à ces résultats et les risques encourus.

— Ho ! hé, tu me mènes en bateau là, lâcha l'oncle Benny incrédule devant le récit de sa nièce.

— Elle vous dit la vérité, monsieur, rien d'autre que la vérité, ajouta Hunter sur un ton solennel.

— Vous n'auriez pas dû vous embarquer dans cette histoire, déplora Benny l'air contrarié.

Puis, se tournant vers Chloé, il la regarda droit dans les yeux et lui dit :

— Qu'est-ce qui t'a pris Chloé ? Je ne te reconnais pas. Toi d'habitude si sage…

— C'est moi le responsable de tout cela monsieur et non Chloé, laissa tomber Hunter en remontant ses lunettes.

— Bon ! ça ne sert à rien de chercher le responsable. Mais… qu'attendez-vous de moi ? demanda l'oncle de Chloé, d'un ton inquiet.

— Nous avons besoin de toi oncle Benny. Tu es le seul qui peut nous aider ! plaida Chloé. Est-ce que tu connais quelqu'un, dans la police de Kensington, pour lequel tu pourrais mettre ta main au feu qu'il n'est pas un ripou ou qui ne saurait être mêlé de près ou de loin à cette sombre histoire ?

— Lenny Logan ! lâcha sans hésiter l'oncle de Chloé.

— Lenny… Logan…, marmonna Hunter, songeur, comme si ce nom lui disait quelque chose.

— Qu'y a-t-il Hunter, fit Chloé en voyant son compagnon l'air pensif.

— Ah… rien.

— Oncle Benny, accepterais-tu d'aller le voir avec nous afin de nous aider à élucider cette sombre histoire ?

— Effectivement, je crois qu'il serait plus sage que je vous accompagne. De toute façon, tu sais bien que je ne peux rien te refuser, pas plus qu'à ta mère, d'ailleurs, acquiesça l'oncle Benny. Le temps d'enfiler mes jeans et un chandail et je vous rejoins dehors.

À l'extérieur, Hunter demanda :

— Chloé… sois franche avec moi. Ce type, ce n'est pas vraiment ton oncle ?

— Si on peut dire… En réalité, Benny est le premier grand amour de ma mère. Lorsqu'elle l'a laissé, il a eu beaucoup de peine et il ne s'est jamais marié par la suite. Au fil du temps, mon père et Benny sont devenus de très bons amis ! Ils se voient souvent. Je sais… c'est un peu bizarre tout ça. Mais ne le juge pas trop vite. Il pourrait te surprendre agréablement. C'est un homme bien ! Depuis que je suis née, il a toujours été dans mon entourage familial et, dès mon plus jeune âge, je l'ai appelé oncle Benny. Mes parents ne s'y sont pas opposés, au contraire ! Ils ont accepté qu'il soit un peu comme mon parrain adoptif. Bref, je l'aime beaucoup l'oncle Benny et j'ai confiance en lui. S'il peut nous aider, il le fera ! plaida Chloé.

— J'espère ! Car on en aura bien besoin pour convaincre ce mystérieux Lenny Logan...

16

Un allié inespéré

Pendant qu'ils discutaient à l'extérieur, le grincement disgracieux des poulies de la porte de garage se fit entendre suivi d'un tonnerre de vrombissements sonores rappelant les autos de course. Ils virent alors apparaître une rutilante Mustang datant des années soixante.

— Vous venez ? demanda l'oncle Benny lorsque le véhicule fut à leur hauteur.

— Wow ! Regarde un peu ce bolide ! s'exclama Hunter tout excité à l'idée d'y prendre place.

— Je t'avais dit qu'il te surprendrait ! fit Chloé tout en se faufilant sur le siège arrière, désireuse de laisser Hunter prendre place à l'avant, sachant très bien que cela lui ferait plaisir.

— Eh bien ! Par où commençons-nous ? demanda l'oncle Benny. Vous avez un plan ?

— Commençons par voir si votre ami policier peut nous aider. Après, nous verrons… J'ai ma petite idée de la façon dont on pourrait faire sortir le tueur de sa tanière, répondit Hunter.

— OK ! Direction le poste 61, acquiesça l'oncle Benny en accélérant un brin pour montrer à Hunter ce que cette bonne vieille bagnole avait sous le capot.

Quelques minutes plus tard, ils arrivèrent dans le stationnement du poste 61. L'endroit grouillait de policiers qui entraient et sortaient de leur véhicule. L'oncle Benny, un habitué des lieux, fut accueilli chaleureusement par ses collègues qui se mirent à le taquiner et à plaisanter sur le fait qu'il leur avait caché sa double vie et deux gamins qu'il se décidait enfin à montrer.

— Ils parlent de nous ? fit Hunter en voyant l'oncle Benny se faire taquiner par ses collègues.

— Oui, ne t'inquiète pas. Ils vont le titiller un brin. Tu verras, après, Benny va passer aux choses sérieuses.

Une fois le petit attroupement de policiers dissipé, toujours assis dans la Mustang, nos deux espions en herbes virent l'oncle Benny chercher du regard une des voitures. Dès qu'il l'eut repérée, il s'en approcha et trouva Lenny Logan en train de rédiger un rapport. L'oncle Benny ouvrit la portière et s'installa sur le siège du passager sous les regards inquiets de Hunter et Chloé qui redoutaient sa réaction.

Les deux hommes discutèrent un bon moment, puis ils sortirent du véhicule pour se diriger ensuite vers la Mustang où les attendaient Hunter et Chloé.

— Misère ! Il manquait plus que ça ! pesta Hunter qui eut le réflexe de baisser la tête en voyant le mystérieux agent Logan s'avancer vers eux.

— Quoi ! Qu'y a-t-il Hunter ?

— C'est le policier grognon ! Tu sais, celui qui me rabroue toujours lorsque je m'approche d'une scène de crime.

— Et… ? fit Chloé incrédule qui ne voyait pas où son ami voulait en venir.

— Il ne nous croira jamais ! chuchota Hunter, entre ses dents serrées. Quelle malchance ! Parmi tous les flics du quartier, il fallait qu'on tombe sur lui.

Arrivé près d'eux, l'oncle Benny invita ses deux passagers à sortir du véhicule.

— Quoi ! Encore toi ? fit le policier bourru en voyant Hunter. Qu'est-ce que tu fous ici et en quoi es-tu mêlé à tout ça, espèce de petit fouineur ? demanda l'agent Logan sur un ton peu amène.

— Wow ! Du calme Len ! Vas-y mollo, ce ne sont que des gamins.

— Bon ! OK ! fit le policier en baissant la voix d'un cran. Dites-moi tout ce que vous savez sur cette histoire et je verrai si ça tient la route.

— Pas ici. Nous devons vous voir seul dans un endroit calme et à l'abri des regards, négocia Hunter.

— Len ! Je connais un endroit tranquille où nous pourrons discuter. Tu peux nous y rejoindre pour onze heures, suggéra l'oncle Benny en lui filant son adresse.

— Bien. Je termine mon rapport et vous rejoins là-bas. J'espère que ça vaut le déplacement, termina le policier avant de tourner les talons en direction du poste de police dans lequel il s'engouffra, son gros calepin à la main.

Sur le chemin du retour, l'oncle Benny cuisina Hunter sur ses relations avec Lenny Logan. Celui-ci lui révéla qu'il suivait la trace du tueur depuis un certain temps et que le hasard avait fait en sorte que l'agent Logan était là, à chaque fois, sur les scènes de crime et, bien qu'il ne fasse rien de mal, il ne tolérait pas sa présence.

— Tu sais Hunter… Quoiqu'un peu grognon, Lenny est un très bon policier. Je le connais depuis l'école de police. Tu ne peux pas avoir policier plus droit que lui. Il se donne à cent dix pour cent lorsqu'il est en devoir. Des comme lui, il ne s'en fait plus ! C'est pourquoi tu as tout intérêt à l'avoir de ton côté si tu veux qu'on arrive à résoudre le mystère du tueur au foulard, conseilla l'oncle Benny.

— Bon… OK ! On fera comme vous dites, acquiesça Hunter en jetant un coup d'œil vers Chloé qui lui répondit par un sourire.

À leur arrivée, ils s'installèrent sur la terrasse de la maison de l'oncle Benny et, tout en buvant une limonade, ils attendirent avec impatience l'agent Logan.

À onze heures pile, ce dernier gara son véhicule de patrouille et en sortit, accompagné d'un coéquipier beaucoup plus jeune que lui.

— Zut ! On n'avait dit personne d'autre ! maugréa Hunter en les voyant arriver.

— Laisse-moi régler ça ! reprit l'oncle Benny en se dirigeant vers la voiture, l'air soucieux.

— Len ! Je peux te parler seul à seul ? demanda l'oncle Benny en invitant son ami à le rejoindre,
hors de son véhicule. Est-ce que tu te souviens que
nous nous étions entendus pour nous rencontrer
seulement toi, moi et les jeunes ?

— T'inquiète ! Mark est un jeune issu d'une
quatrième génération de policiers et il est aussi
droit qu'une barre de fer ! Tu peux te fier à moi,
plaida Lenny Logan.

Convaincu, Benny invita ses collègues à les
suivre à l'intérieur. Assis autour de la table de
la cuisine, l'agent Logan demanda à Hunter et à
Chloé de leur dévoiler tout ce qu'ils savaient sur
l'affaire du tueur au foulard.

Après avoir reçu l'assentiment visuel de l'oncle
Benny et de Chloé, Hunter déballa son sac. Il
montra les pièces à conviction qu'il avait en sa
possession et leur fit part de sa théorie tout en
les suppliant de les aider à mettre fin à tous ces
meurtres crapuleux.

— Hum ! déclara l'agent Logan impressionné. À ce que je vois tu n'as pas chômé, petit ! Et moi qui croyais que tu t'amusais seulement à imiter les policiers en jouant à des jeux de rôles futiles pour nous embêter. J'avoue que tu m'épates mon gars !

Hunter qui ne s'attendait pas à ce revirement inattendu et aux compliments de l'agent Logan, commença à voir ce dernier sous un tout autre angle. Il aperçut même un éclat de fierté dans le regard de Chloé et de l'oncle Benny.

— Euh… merci m'sieur. Mais, vous savez ce que je fais, je le fais pour sauver des innocents, comme vous le faites quotidiennement !

— J'aime bien ce petit ! lança le jeune policier qui accompagnait l'agent Logan. T'as du cran et le potentiel pour faire un bon enquêteur. Tu pourrais devenir un excellent lieutenant, un jour. Mais avant, tu devras étudier à l'école de police, bien sûr !

— OK ! Maintenant si nous revenions à nos moutons, reprit l'agent Logan, l'air préoccupé. Dis-nous ce que toi et ton amie vous suggérez pour faire sortir le tueur de l'ombre ?

17

Un coup d'épée dans l'eau

Ayant l'approbation de l'agent Logan, Hunter se lança dans une envolée de suggestions concernant sa vision du dernier acte de cette sombre histoire. Malheureusement, les policiers ne trouvèrent aucune des idées de Hunter suffisamment sécuritaires pour la mettre en œuvre. L'agent Logan qui avait un fils de l'âge de Hunter, ne pouvait se résigner à les laisser mettre leur vie en danger en s'offrant comme appât au tueur.

— Désolé petit… Tu as de bonnes idées, mais ce que tu proposes est beaucoup trop risqué. Je ne peux appuyer de tels plans, cela équivaudrait à mettre vos vies en danger, déclara Lenny Logan, soutenu par Benny et le jeune officier.

— Mais… qu'allons-nous faire dans ce cas ? Continuer de regarder mourir des innocents ! protesta Hunter.

— Navré, petit, mais la justice doit suivre son cours. Nous finirons bien par coincer le tueur. Avec tout ce que tu nous as donné comme informations, ce n'est qu'une question de temps avant qu'il ne se compromette. Pour l'instant, les preuves ne sont pas assez fortes pour arrêter qui que ce soit. Tu peux avoir confiance en nous. Nous aurons un œil sur les trois suspects de cette liste noire que tu as trouvée.

Puis, regardant son acolyte, il ajouta :

— Tu viens, Mark ! On a du boulot et de longues heures de patrouille à faire. Merci les jeunes et surtout pas d'imprudence ! OK ?

Sur ces mots, l'agent Logan remonta dans sa voiture avec son coéquipier et ils repartirent sur les chapeaux de roue.

— Grrr ! Je savais qu'il ne ferait rien pour nous aider, maugréa Hunter visiblement désappointé.

— Hunter, fit l'oncle Benny, je connais Lenny depuis longtemps. C'est un policier expérimenté. S'il te dit de ne prendre aucun risque inutile, c'est parce qu'il sait de quoi il parle. Il ne veut que vous protéger. J'en mettrais ma main au feu !

— Hunter... mon oncle a raison, renchérit Chloé. Ton plan, qui vise entre autre à publier un article destiné au tueur pour lui dire que nous détenons le coffre au trésor de la confrérie, c'est du pur suicide !

— Qui ne risque rien n'a rien ! laissa tomber Hunter, l'air renfrogné, en attrapant son vélo et se mettant en route vers sa demeure.

Chloé, quant à elle, après avoir fait un câlin à son oncle et s'être confondue en excuses pour l'avoir dérangé, enfourcha sa bicyclette et fonça à vive allure afin de rattraper son ami.

— Hunter, attends ! Ralentis… tu vas trop… vite, cria Chloé en rejoignant son ami qui filait chez lui pour réfléchir à la façon dont il mettrait un terme à toute cette histoire.

— Qu'est-ce que tu veux encore ? Je croyais que tu étais de mon côté et voilà que tu dis comme eux, maugréa Hunter. Je te signale qu'ils n'ont pas encore réussi à mettre la main sur le tueur au foulard et que c'est pas demain la veille.

— Hunter… que crois-tu qu'il va se passer si tu publies cet article destiné au tueur ?

— Je l'obligerai à sortir de sa tanière et, avec l'aide des policiers on pourra le coincer.

— Ah bon… comment comptes-tu faire pour qu'il se compromette ? rétorqua Chloé incrédule alors qu'ils roulaient côte à côte. Que vas-tu lui offrir pour qu'il sorte de l'ombre.

— C'est très simple ! Je lui proposerai un échange : le coffre au trésor contre une somme d'argent raisonnable.

— Et tu crois que le poisson mordra à l'hameçon ? lâcha Chloé en s'arrêtant brusquement devant la maison de Hunter.

— Tu parles qu'il viendra ! Tout ce que ce bandit désire c'est le pouvoir et c'est moi qui détiens la clé pour y accéder. C'est si important à ses yeux qu'il est prêt à tuer ! Je n'ai aucun doute, il paiera la rançon, j'en mettrais ma main à couper. D'ailleurs le temps de me changer et je pars au journal faire paraître mon article, termina Hunter.

— Hunter ! Non ! l'agent Logan t'a dit de ne pas faire ça ! le supplia Chloé.

Mais Hunter était décidé. Une fois changé, il enfourcha son vélo et dit à Chloé :

— Rentre chez toi Chloé. C'est ici que se termine notre association. À partir de maintenant, ça risque de ne pas être jojo dans les parages.

Voyant le visage défait de Chloé, Hunter enfonça son chapeau sur sa tête.

— T'inquiètes pas ! J'ai mon plan au cas où ça devrait mal se passer.

Alors qu'elle regardait son ami partir seul en direction des bureaux du journal local, Chloé eut un mauvais pressentiment. Sur le chemin du retour, elle avait le cœur gros et ressentait beaucoup d'inquiétude devant les risques énormes que Hunter prenait afin de faire aboutir son enquête.

***

Devant le local du journal, Hunter laissa tomber son vélo par terre. Décidé à résoudre cette affaire, il poussa résolument la grande porte vitrée. La réceptionniste, derrière son bureau, leva les yeux sur lui et lui demanda d'un ton à la fois autoritaire et hautain :

— Oui, jeune homme. Que puis-je faire pour vous ?

— Je veux voir Tim Ryan, le journaliste de la criminelle, répondit Hunter sur un ton qui n'entendait pas à rire.

— Bien, assoyez-vous, je l'appelle immédiatement.

Quelques minutes plus tard, un grand gaillard plutôt maigre, arborant une courte chevelure noire frisottée et des lunettes aux verres épais, se pointa à l'entrée et s'enquit à la réceptionniste :

— Qui me demande ?

— Lui ! indiqua-t-elle en montrant Hunter.

— Que me veux-tu mon gars ? Je n'ai pas de temps à perdre en futilités. Je suis sur une grosse affaire, lança le journaliste, fébrile.

— Et l'affaire du tueur au foulard, est-ce assez important pour vous déranger quelques minutes ? lâcha Hunter sur un ton mystérieux. Je sais des choses... des choses qui pourraient permettre de coincer ce mystérieux criminel.

Voyant que la réceptionniste tendait l'oreille pour essayer d'entendre la conversation, le journaliste l'invita à le suivre :

— Viens dans mon bureau jeune homme ! On verra si tu as vraiment quelque chose de sérieux qui pourrait m'intéresser.

Derrière les portes closes, Hunter raconta son histoire au journaliste. Lorsqu'il eut terminé, ce dernier déclara :

— Écoute-moi bien, jeune homme, je ne peux publier ce que tu me demandes. Cela mettrait ta vie en danger.

— Vous ne comprenez pas ! Vous êtes le seul qui peut m'aider. C'est la seule façon d'arrêter toute cette tuerie. Vous devez le faire ! C'est une question de vie ou de mort, termina Hunter.

Après quelques secondes d'hésitation, Tim Ryan décida :

— Écoute… nous allons publier ta lettre, mais sans mentionner ton nom. Si le tueur veut entrer en contact avec la personne qui détient la clé, il devra communiquer avec moi. Je ferai alors en sorte de lui indiquer l'endroit où la rencontre aura lieu. Je lui dirai qu'il aura la clé en échange de la somme d'argent demandée et de mon silence. Ainsi, il croira que c'est moi qui détiens la clé et cela te protégera. C'est à prendre ou à laisser.

— Très bien, mais je veux être mis au courant dès qu'il vous contactera.

— Eh bien, jeune homme ! On peut dire que tu n'as pas froid aux yeux ! lança le journaliste en serrant la main de Hunter et en se dirigeant ensuite vers son poste de travail, afin de rédiger la lettre qui fera parler toute la ville le lendemain.

Hunter, satisfait, fila chez lui pour attendre le dénouement tant espéré.

Le Piège

Le lendemain, toute la ville ne parlait que de l'article sur le tueur au foulard.

Hunter, qui terminait tranquillement son petit déjeuner chez lui, avec sa mère, entendit la sonnette d'entrée retentir vivement.

— J'y vais ! fit Hunter en plaquant son œil dans le judas pour voir qui c'était. Chloé ? Mais… que fais-tu ici ? C'est pas prudent !

— Je peux entrer ?

— Oui, bien sûr ! Qu'y a-t-il ?

— Hunter… je veux m'excuser pour hier. Je me suis jointe à toi dans cette affaire et j'aimerais aller jusqu'au bout, peu importe les conséquences, plaida Chloé.

— Hunter ! Qui est là ? demanda Angela, curieuse.

— C'est seulement Chloé, m'man. Je m'en occupe. Non ! C'est à moi de m'excuser Chloé. Je n'aurais pas dû te parler comme je l'ai fait. J'étais un peu sur les nerfs. Viens, allons au labo. J'ai des choses à te raconter.

Après avoir prévenu sa mère, Hunter descendit au sous-sol avec Chloé. Une fois à l'abri des oreilles indiscrètes, il lui expliqua de long en large sa visite au journal ainsi que son plan.

Tandis qu'ils discutaient, la voix de sa mère lui parvint du rez-de-chaussée :

— Hunter ! Je vais faire des courses, je ne reviendrai pas trop tard, OK ? Soyez sages !

— OK, m'man ! À plus !

Quelques minutes plus tard…

« Driiinggggg ! Driiinggggg ! »

— Allô ! fit Hunter intrigué, en décrochant le combiné.

— Hunter… sauve-toi ! Il sait pour ton… enquête. Il t'a… suivi… au journal.

— M. Ryan ! Qu'y a-t-il ? Vous semblez bizarre.

— C'était… le tueur. Il m'a… torturé pour me faire avouer… qui était venu… faire publier cet article. Il m'a laissé pour…

« Boum ! »

— M. Ryan ! Ça va ? Répondez ! demanda Hunter avec insistance.

Il eut soudain un mauvais pressentiment. Et si le tueur avait fait une nouvelle victime en la personne du journaliste Tim Ryan.

— Chloé ! C'est M. Ryan, le journaliste. Le tueur l'a attaqué et laissé pour mort. Je dois rejoindre les secours ! dit Hunter en tapant avec empressement le 911.

Alors qu'il s'apprêtait à parler, la communication fut interrompue. Il n'y avait plus aucune tonalité…

— Qu'y a-t-il ? demanda Chloé en voyant blêmir Hunter.

« Crak… crak… »

— Chutt ! Il est ici ! chuchota-t-il en pointant du doigt le plafond du rez-de-chaussée.

Ils pouvaient suivre la progression de l'intrus au-dessus d'eux.

— Chloé ! Cache-toi dans cette armoire, murmura Hunter en attrapant son bâton de baseball et en courant se placer derrière la porte du sous-sol.

Bien mal lui en prit, car le mystérieux visiteur donna un grand coup de pied à la porte. Cette dernière atteignit Hunter en plein visage et l'assomma sur le coup.

— Rends-moi ce qui m'appartient, petit merdeux, ou je t'étripe ! hurla le visiteur masqué en attrapant Hunter par le collet pour ensuite l'envoyer valser lourdement contre le mur.

Hunter gisait sur le sol, à demi conscient, les lunettes brisées et le nez bien amoché.

Alors que l'assaillant, la main levée, s'apprêtait à le frapper de nouveau, Chloé, rassemblant tout son courage, sortit brusquement de sa cachette et lança d'une voix forte :

— Grosse brute, ne le touchez pas !

— Tiens, tiens, tiens ! Voilà sa complice ! Parfait ! fit le bandit masqué en attrapant Chloé par les cheveux pour la forcer à s'agenouiller.

Hunter, chancelant, tentait vainement de se remettre du coup de porte reçu en plein visage.

— Rendez-moi ce qui m'appartient ou je ne réponds pas de mes actes ! continuait l'agresseur furieux.

Puis se retournant vers Hunter, il poursuivit d'une voix qui tremblait de rage :

— T'as le choix, petit fauteur de troubles : ou tu parles ou ta petite amie va payer le prix fort !

Au moment où le bandit allait frapper Chloé, il reçut sur la nuque un grand coup de matraque et s'effondra, assommé.

— Oncle Benny ! Tu es venu ! s'écria Chloé entre deux sanglots alors que Hunter se relevait en titubant.

Tandis que Benny passait les menottes au mystérieux intrus, Chloé se dirigea vers son ami.

— Hunter, ça va ? demanda-t-elle, inquiète, en voyant un filet de sang couler le long de son nez.

— Oui. Un peu sonné, mais ça va..., déclara-t-il en se dirigeant vers leur sauveur pour le remercier chaleureusement de son intervention. Maintenant… on peut voir sa figure ?

Oncle Benny retourna le criminel sur le dos et retira lentement son masque. C'est alors qu'il découvrit l'identité de l'énigmatique tueur au foulard.

Il s'agissait de son ami de toujours, Lenny Logan.

— Hein ! C'était lui ! fit Chloé abasourdie.

— Oui, c'est bien lui, déplora l'oncle Benny.

— Je le sentais ! C'est pour cela que je ne pouvais pas le voir en peinture. Il m'a toujours paru bizarre, souligna Hunter.

— Mais… oncle Benny, comment as-tu su ? demanda Chloé, encore sous le choc.

— J'ai commencé à avoir des doutes lorsqu'il est venu à la maison. Je trouvais bizarre qu'il refuse systématiquement toutes les solutions proposées par Hunter. Comme s'il ne voulait pas que je m'en mêle. J'ai donc, décidé de faire comme si j'étais d'accord avec lui tout en me disant que j'allais l'avoir à l'œil. Puis, ce matin, lorsque j'ai vu le journal et la lettre publiée, j'ai eu un choc. Malgré l'heure matinale, et bien que le journal n'ait pas encore ouvert ses portes, je me suis dépêché d'y aller. Je savais que Tim était en danger. Malheureusement, j'ai constaté que j'arrivais trop tard en voyant un homme cagoulé qui en sortait précipitamment. J'ai donc appelé les secours et j'ai suivi le malfaiteur qui m'a conduit directement à vous.

— Mais, oncle Benny ! Qu'est-ce qui peut pousser un policier au passé apparemment irréprochable, à commettre de tels crimes ? demanda Chloé intriguée.

— Malheureusement, c'est trop souvent l'appât du gain qui est en cause, répondit du tac au tac, l'oncle Benny.

— Et pour M. Ryan ? demanda Hunter inquiet pour la santé du journaliste.

— Ne t'inquiète pas, il va s'en sortir.

Quelques minutes plus tard, une meute de policiers arrivèrent chez Hunter et embarquèrent le policier ripou qui, trop honteux n'osa même pas jeter un regard à l'oncle Benny.

**

Alors que la poussière retombait et que le quartier de Kensington reprenait son souffle, le tueur au foulard fut accusé des meurtres des Seigneurs de Méliakin et de tentative de meurtre sur la personne de Tim Ryan le journaliste qui témoigna contre lui.

Hunter et Chloé, quant à eux, avaient repris le chemin de l'école et étaient devenus inséparables. Leur enquête les avait rapprochés à un point tel, qu'ils avaient pris habitude de se côtoyer régulièrement, autant à l'école qu'en dehors.

— Hé, Chloé ! On se voit chez moi ce soir ? J'ai quelque chose à te montrer, chuchota Hunter à son oreille alors que son amie le quittait pour aller rejoindre son cours de musique.

— Dac ! J'y serai à sept heures, lui dit-elle en lui faisant un clin d'œil complice.

***

Deux semaines s'étaient écoulées depuis le dénouement de l'enquête sur le tueur au foulard. La fébrilité, qu'il avait vécue durant son enquête, manquait déjà à Hunter. Ce soir-là, une fois de retour à la maison, il revêtit son imper et son chapeau et se planta devant la photo de son père en murmurant :

— P'pa ! Tu me manques ! Je te promets qu'un jour je trouverai ceux qui ont contribué à ta disparition. Ils vont payer pour leur crime...

Alors qu'il s'apprêtait à enlever son imper, Hunter sentit dans la couture de celui-ci, à la hauteur des poches d'en bas, une petite bosse qu'il n'avait jamais remarquée auparavant. Intrigué, il examina la doublure et décida de faire sauter les points de couture avec la pointe d'un ciseau, pour voir ce qui se trouvait à l'intérieur. Quelle ne fut pas sa surprise de découvrir un petit morceau de papier, replié plusieurs fois sur lui-même, qui avait été glissé entre deux points !

Intrigué au plus haut point, Hunter fila à son labo pour examiner sa trouvaille avec sa lampe-loupe. C'est alors qu'il découvrit un message codé écrit par son père.

C'était comme si ce dernier pressentait sa mort et savait qu'Hunter allait un jour trouver son mys-térieux message qui disait :

« S.O.S à toutes les unités… Aigle blanc en danger ! Les milices de la Filière rouge ont découvert mon existence. Protégez ma famille… »

Aiglon, si tu trouves ce message, remets-le rapidement au garde-chasse de la forêt verte…

Fin

Le calepin de l'enquêteur

1er indice

2e indice

3e indice

4e indice

5e indice

6e indice

_____

Le coupable :

Table des matières

RECYCLÉ
Papier fait à partir
de matériaux recyclés
FSC® C103567

Imprimé sur du Rolland Enviro,
contenant 100% de fibres postconsommation,
fabriqué à partir d'énergie biogaz et certifié FSC®,
ÉCOLOGO, Procédé sans chlore et Garant des forêts intactes.

PERMANENT

100%

Garant
des forêts
intactes^MC

Achevé d'imprimer au Québec
En novembre 2016